웃어도 하루
울어도 하루

다시 만난
펀펀 세상이야기

이승국 지음

프롤로그

우리는 삶이 자유롭고 홀가분하기를 원합니다. 자유롭고 홀가분한 삶을 산다는 것은 어디에도 얽매이지 않고 나에게 주어진 시간을 내 의지대로 살아가는 것입니다.

2022년 봄, 내 생애 처음으로 〈펀펀 세상이야기(1)(2)〉 를 출간 하면서 내 일상의 삶과 생각들이 세상에 알려졌습니다. '펀펀'이라는 이름은 2013년 내 나이 50대 초반에 내가 살아가야할 인생을 위한 '삶의 지표 10가지'를 만들 때 닉네임으로 지었습니다.

영문 FUN으로 '재미있는, 즐거움'의 뜻을 가지고 있습니다. 세월이 지난 지금은 'FUN-fun' 이라는 이름이 펀펀 세상으로 확장되어 내 삶이 되었습니다.

'펀펀 세상이야기'는 이승국이라는 사람이 살아가는 삶이니까요.

누구의 간섭도 평가도 원하지 않습니다. 널리 알려지지 않아도, 많이 읽혀지지 않아도 괜찮습니다. 누구에게 보여주기 위함은 더욱 아닙니다.

내 삶을 표현하는 일련의 의식이고 나를 찾고 만나는 행위입니다. '편편 세상이야기'는 내 삶의 뿌리와 역사입니다.

〈다시 만난 편편 세상이야기〉 또한 네이버 블로그에 쓴 이야기를 책으로 엮었습니다.

누구나 현실의 삶은 엇비슷하지만 나중의 결과는 후회와 아쉬움의 차이로 나타납니다. 대다수 사람들이 인생의 끝자락에 후회하는 것이 두 가지가 있다고 합니다.

하나는 내가 그토록 하고 싶었던 것을 제대로 해보지 못한 것이고, 또 하나는 내 인생 내 마음대로 산 날이 별로 없다는 사실입니다.

인생 끝자락에 후회하지 않는 삶을 사는 것이 행복하게 사는 것이 아닐까 하는 생각을 합니다.

행복은 결코 먼데 있는 것이 아니라 맑고 향기로운 일상

속에 있음을 깨닫고 있습니다.

늘 행복할 수는 없지만 불행한 삶이 되지 않도록 자신을 돌보고 보살펴야 합니다.

웃어도 하루 울어도 하루입니다. 삶은 늘 어제와 오늘 그리고 내일의 연장선 위에 있습니다. 삶이 끝나는 그 날까지 자기를 중심에 두고 자신의 삶을 살아야 합니다.

오늘 내가 사는 삶의 태도가 내일의 인생이 됩니다.

이 책을 내는데 도움을 준 네이버 블로그 <이승국 편편 세상이야기>와 편편 세상을 아끼고 사랑해 주시는 편편 가족님들께 감사를 드립니다.

2024년 새해에 이승국

차 례

내 속도대로 사는 삶

2022년 여름은 신불산 숲의 습한 바람과 홍류 폭포의 거대한 물기둥에서 뿜어지는 물보라를 맞으며 시작했다. 폭포수 아래 가부좌를 틀고 도인의 자세로 짧은 명상을 했다.

마음이 혼란스러울 때 혼자 하는 시간이 좋더라. 요즘 혼자 있는 시간이 자꾸 늘어만 가고 정신의 혼란 서러움이 커지고 있다. 내가 나를 제대로 알지 못함인지도 모른다.

한여름의 불볕더위가 여러 날 이어져 삶의 질도 떨어지고 내 삶도 잠시 '동작 그만' 멈춰있다. 8월 첫째 주는 나에게 휴가를 명했다. 특별한 일정은 없지만 그냥 쉬고 싶었다.

백수가 늘 쉬는데 무슨 휴가를, 쉰다는 건 또 무슨 의미일까.

나에게 쉼이란, 일상에서 벗어나 평소와 다른 시간을 보내며 심신을 돌보는 일이다.

일전에 시골 엄니께 다녀왔다. 이 여름을 어떻게 살고 계시는지 살펴보았다. 무얼 잡수시나 하고 부엌에 있는 작은 밥상 위를 살펴보니 뚝배기 된장국, 양념간장, 우엉 잎과 들깻잎, 신 김치 그릇이 단아하게 올려져있다.

더운데 식사는 제대로 하시나 물었더니 "입맛도 없고, 하기도 귀찮고 해서 찬물에 밥 한술 말아서 먹는다."라고 하신다.

엄니의 삶이기도 하지만 독거 어르신들의 공통적인 삶 일수도 있다. 결코 행복하다 할 수 없지만 주어진 삶을 그저 살고 계신다. 엄니께서는 못 죽어 산다는 푸념을 내 뱉으며 운명처럼 받아들이신다. 자식이란 존재가 대신해 줄 수 없다는 사실을 서로가 알고 있다.

여름의 잉여 시간에 휴가를 핑계 삼아 오피스에 홀로 머물고 있다. 가끔 찾아주는 가족 같은 지인도 있지만 그들도 그들의 소중한 삶을 자기 속도대로 살고 있을 뿐이다. 나는 내 삶을 타인에게 세세히 말하지 않는다. 삶의 스트레스와 고민거리를 밖으로 내보이는 쪽은 아니다. 내 안에 가두어 삭혀버린다.

한 주에 두 번쯤 숲길을 걸으며 삶의 찌꺼기를 들어내기도 한다. 내가 머무는 오피스 인근에 황령산 자락 바람고개가 있고, 본가 쪽에는 이기대 장자산이 있으니 삶의 환경이 참으로 좋다.

몇 날을 오피스에 그냥 머물러 있다. 밤 11시쯤 잠자리에 들면 아침 5시쯤 깬다. 내가 머물러 있으니 내 집이다. 그렇다고 독립한 건 아니다. 졸혼한 사람처럼 아내와 각자 다른 공간에서 서로 간섭하지 않고 홀로 살아보고 있다.

육신의 돌봄도 함께했다. 침침한 눈은 'L안과'에서 불편한 치아는 'B치과'에서 검진을 받았다. 안과와 치과를 찾는 사람에게 환자라고 하기는 뭔가 어색하다. 침침한 눈은 노화현상이 진행되어 시력이 떨어지고 백내장 증상이 보이고, 약간의 비문증(날파리증)은 다행히 신경과는 연관이 없다는 진단이다. 치료를 해야 할 정도는 아니니 그나마 다행이다. 인공 눈물과 점안 액 처방을 받았다.

B치과 K원장은 내 치아 주치의다. 6년 만에 왔다고 원장 선생이 반갑게 인사를 한다. 나도 반가움을 전하고 덧붙여 "임플란트와 여러 가지 치료를 너무나 완벽하게 잘 해주시어 아픈 곳도 없으니 올 일이 없었지요."하고 인사에 답했다. 그간 세월이 6년이란다.

치아 사진을 찍어 상태를 점검하고는 원장이 결과를 알려준다. 상태는 괜찮다고 6개월 후에 검사를 다시 해보는 것이 좋겠다고 했다. 구강 청소 스케일링으로 치과 검진을 마무리했다.

다음번의 육신의 돌봄 순서는 머릿속과 뱃속을 자세히 들여다보려 한다. 심신을 잘 보살펴 건강하게 주어진 내 운명대로의 삶을 가치 있게 살고 싶다. 누구나 자신을 지키는 방어기제가 있다.

마음은 늘 내 안에서 보다 내 다른 곳에서 불 질러진다. 질러진 불을 끌 수 있는 소방수 또한 자신뿐이다. 오늘도 내 안의 나를 잘 다스려 나의 속도대로 살고자 애쓰고 있다.

문득 걷다

빗소리에 잠을 깼다. 열어둔 베란다 큰 창문을 통해 쏟아지는 빗소리와 시원한 바람이 함께 들어왔다. 창밖이 희뿌연한 것으로 보아 아직 밤이 덜 갠 시간임을 알았다.

오랜만에 들어보는 빗소리다. 올해는 마른장마라고 비 같은 비를 제대로 느껴보지 못했다. 열어둔 창의 방충망을 통해 거실로 들어오는 비바람을 맞으며 창밖을 내려다보았다.

비가 많이 온다. 문뜩 장화 신고 우산 쓰고 빗속을 걷고 싶다는 생각이 들었다.

간밤엔 밤새 깊은 잠에 빠졌나 보다. 평소 잠자는 것에 그렇게 연연하지는 않는다. 잠이 오면 그냥 자고 잠이 오지 않으면 안 잔다는 자연적인 룰을 따르지만 대체적으로 잠을 잘 자는 편이다.

최근 심신이 피로한 탓인지 체력이 떨어진 탓인지는 모르지 만 잠드는 시간이 빨라진다. 보금자리에 잠시 육신을 뉘면 금세 깊은 잠에 빠진다. 잠드는 순간을 의식하지 못한다.

정신 줄 놓고 쓰러져 장시간 깊이 자는 것을 '시체놀이'한다고 말한다. 가끔 "시체놀이 잘했나요."라고 인사말을 전하기도 한다.

나의 '시체놀이'에 빗소리도 함께하는 줄 알았는데 눈을 뜨니 현실로 비가 오고 있었다.

비 오는 날 비 맞으며 바닷가를 잠시 걷고 싶어 아침에 서둘러 출타를 했다. 반바지에 바람막이 잠바를 걸쳤다. 비가 속도를 계속 이어갈 줄 알았는데 그렇지가 않다.

비는 그치고 하늘은 고요하다. 곧 비가 다시 쏟아지기를 기대하고 광안리 바다로 향했다.

비 그친 광안리 아침 바다는 한적하다. 긴 백사장엔 얕은 물결의 파도가 들어왔다 나갔다를 반복한다. 빗속은 아니지만 바닷물 위를 그냥 걸었다.

나는 평소 바닷물 위 걷기를 좋아한다. 바다와 땅이 만나는 지점, 바닷물과 백사장이 만나는 부분은 아무런 흔적도 없이 평편하다.

단 하나의 흔적은 내 발자국이 한발 두발 세 발쯤의 자국을 남기면 뒤따라오면서 내 발자국을 바닷물의 작은 물결이 그냥 지우며 따라온다.

아침 고요한 시간에 해변을 걷는 여유로움이 좋다. 날이 개였다면 햇살이 뜨거울 시간이다. 여름 바닷물 속에 그냥 뛰어들면 그만인데. 마음만 바닷물 속에 던지고 백사장을 끝까지 갔다 다시 돌아왔다. 잔잔한 파도만 일정한 속도로 흔들릴 뿐 바다는 고요하고 변함이 없다.

고요한 백사장에 청소하는 관리인들의 모습이 보이고, 안전요원들은 제각각 지정된 망루에 올라가고 있다. 오늘도 일반인들의 하루 일과가 시작되는 시간임을 알 수가 있었다.

어제는 대신공원 삼나무 숲길을 걷고, 오늘 아침은 바닷물 위를 걸었고, 지금은 황령산 편백나무 숲길을 걷고 있다.
삶이 무료할 때는 걷는 것이 최상이더라. 굳이 애쓰지 않아도 만족스러운 곳 바다와 숲길이다. 문득 걷고 싶을 때가 있다. 오늘이 그런 날인가 보다.

우영우 팽나무

"앞으로 해도 우영우, 뒤로 해도 우영우~기러기~토마토~스위스~인도인~별똥별~역삼역~우영우" <이상한 변호사 우영우> 종방 TV 드라마 채널 ENA, 시청률 17.5% 기록으로 시청자를 사로잡았다. '방송국 채널에 개의치 않고 재미있으면 본다.'라는 신드롬을 남겼다.

〈이상한 변호사 우영우〉 촬영지가 명소로 탄생되었다. 부산 인근에도 있다. '우영우 팽나무'로 유명세를 타고 있는 곳, 창원시 의창구 대산면 북부리 102-1(동부 마을)이다. 대산 수박으로 유명한 곳 낙동강 변에 자리 잡고 있는 20여 호의 작은 시골 마을이다. 오늘은 마을에 초상이 있나 보다. 마을 앰프방송에 "영구차가 곧 도착되니 상투 회원들은 마을 회관 앞으로 모여주세요"라는 방송이 들린다.

시골의 모습은 엇비슷하다. 집들이 모여 있고 정자木 쯤으로 큰 나무가 마을 한 곳에 자리 잡고 그 곳에서 마을 사람들은 만남과 쉼을 가진다. 내 고향 시골에도 300년쯤 되는 느티나무가 마을 가운데 있다. 그 그늘에서 사람들이 모여 일상의 만남과 쉼을 함께한다.

'우영우 팽나무' 아래 작은 평상에는 동네 할매 몇 분이 앉아 쉬고 있고 쉼터로 조성된 정자는 낙동강 망루같이 전망이 좋다. 정자 앞에 허리 돌리기, 하늘 걷기 운동기구 2점이 생뚱맞게 위치해 있지만 시골스러움이 있다.

이곳 동부 마을 팽나무는 낙동강 물줄기와 대산 들판을 늘 내려다보고 있다. 500여 년의 긴 세월을 그냥 그 자리에 잘 버티고 있는데 어느 날 갑자기 유명세를 치르게 되었다.
'우영우 팽나무'로 이름 불리고 갑자기 인간들이 몰려와 뿌리에 압박을 가하고 몸통을 만지고, 가지를 꼬집고 잎도 떼고, 내 고요한 영역을 침범당하는 느낌 매우 황당할 것이다.
팽나무인 나는 늘 내 모습으로 가만히 있는데 인간들이 그냥 내버려 두지 않는다.

'우영우 팽나무'는 낙동강 둔치와 접하는 지점, 동네에서 제일 높은 자리에 있다. 그가 살아남은 이유도 높이에 있지 않을까. 단단한 암반으로 형성된 토질의 최상단에 아마도 깊은 뿌리를 내려 낙동강 강물의 원수를 생명수로 빨아들일 것이다.

거대한 크기의 팽나무 유명세를 탈 만큼 웅장하고 아름답다. 어찌 이렇게 아름다운 곳을 찾아 드라마 속에 담아냈을까. 먼 데서 보면 한 폭의 그림이고 가까이서 보면 크기와 모양의 웅장함에 입이 짝 벌어진다.

팽나무 한 그루가 마을의 수호자로서 마을의 역사를 고스란히 전해준다. 팽나무가 조금 어린 시절에는 아마도 북부리 동부 마을과 들판은 낙동강 홍수 물난리로 침수되는 일이 아주 빈번했을 것이다.
높은 자리에 터를 잡은 팽나무는 물난리 걱정은 없었을 테고 마을 사람들을 물난리 때 이곳 팽나무 아래에 대피했고 팽나무에 기대어 마을 수호 기도를 드렸을 것이다,

4대강 사업 이전엔 낙동강 수산교 둔치 일원은 수박 농사 비닐하우스가 빽빽이 자리해 있었고 수시로 침수되던 곳이었다. 2011년 4대 강 사업으로 농사 시설은 모두 철거되고 지금은 친환경 고수부지로 생태공원과 파크골프장 등 주민을 위한 시설이 들어왔고 낙동강 자전거 길도 잘 연결되어 있다.

8월의 막바지 평일 오전 시간이지만 여름 햇살은 등짝이 따끔거릴 만큼 강렬하다. '우영우 팽나무'를 만나러 가는 동네 초입 두 곳에 차량 통제와 질서유지를 위해 안내요원들

이 있다. 주말에는 방문객이 줄을 선다고 하니 어쩌다 관광 명소가 되어버린 동네가 주민들에게는 불편을 줄 것이다.

안내요원 모습이 공무원 포스이고 공무원증 명패를 목에 걸고 있다. 이런 곳에 공무원들이 근무를 하나 해서 물어보았다. "혹시 공무원이세요." 했더니 "네, 구청 직원입니다"라고 답한다. 대단한 '우영우 팽나무'를 공무원들이 지키고 있다. 의아하기도 하지만 한편으론 시골 정서가 이럴 수도 있겠구나 하는 생각이 들었다.

아마도 '우영우 팽나무'를 지역 관광 자원으로 브랜드화하려고 심혈을 기울일 테다. 매스컴 미디어의 힘이란 것이 상상외로 크다. 우영우가 찾은 드라마 마지막 대사 "뿌듯함"이라는 감정과 같이 '우영우 팽나무'가 북부리 동부 마을 사람들에게도 뿌듯함을 줄 수 있길 기대한다.

드라마가 끝난 후 '우영우 팽나무'는 천연기념물로 지정되어 나라에서 관리하게 되었다.

사람의 입장

사람은 누구나 자기 입장이 있다. 자기의 감정 따위가 약간 무시당하고 묵살당해도 그러려니 하고 지나가는 사람이 있고, 철저하게 따지고 응징하는 사람이 있다.

내 입장과 네 입장이 다르다고 서로를 탓할 일은 아닌데 함부로 말해버리고 또 반복해서 뱉어낸다. 상대방의 생각과 감정 따위는 안중에도 없다.

입장 차이에서 감정이 충돌한다. 서로에게 자기 생각만 한다고 상대를 무시하고 비난한다. 나이를 들어보니 이제는 싫은 소리 듣기가 싫다. 칭찬도 반갑지 않지만 누군가 싫은 소리, 감정에 거슬리는 소리 하면 욱~하고 올라온다.

그 다음은 그냥 입을 닫고 침묵해 버린다. 말해봤자 소용이 없음을 알기 때문이다. 표현이 조금만 과하거나 무시하면 나이 들어서 그렇다고 핀잔을 받기도 한다.

특별한 관계를 맺고 지내는 사람, 가까운 곳에 있는 사람에게서 상처받고 마음 상하는 일이 많더라. 사람과 사람 사이에도 일정한 간격이 반드시 필요하다.

불가근 불가원(不可近 不可遠)이라는 말이 있다. 너무 가까이도 말고 너무 멀리도 하지 말라는 말이다. 좋을 땐 한없이 좋은 게 가까운 사이다. 하지만 나쁠 땐 원수가 따로 없다.
좋은 관계를 유지하기 위해서는 너무 가까이도 말고, 너무 멀리도 하지 말아야 한다. 독일사람 '쇼펜하우어'는 인간관계를 겨울 벌판에 내버려진 고슴도치들의 딜레마에 비유했다. 서로 떨어져 있으면 추워서 얼어 죽고 서로를 껴안으면 서로의 가시에 찔린다.
마음이 추운 사람일수록 상대와의 작은 유사점에 감동하고 선불리 거리를 좁히려 달려들다가 그만큼 더 아프게 찔린다. 사람이라는 물건의 관계는 원래가 복잡하고 어려운 존재다.

「心不在焉(심부재언) 視而不見(시이불견) 聽而不聞(청이불문)」이라 했다. '마음에 없으면 보아도 보이지 않고, 들어도 들리지 않는다.'는 뜻이다.
마음에도 없는 사람을 설득하려고 애쓸 필요가 없다. 우리는 스스로의 자기 마음을 가지고 있다. 스스로 결정하고 스스로 행동하고 스스로 책임지는 삶을 살아야 한다.

살면서 겪는 갈등과 문제는 자기 자신을 제대로 이해하지 못한 데서 비롯되는지도 모른다. 남과 나는 틀린 것이 아니라 다른 것이다. 다른 사람을 내가 옳다고 생각하는 방식대로 바꿔보려는 마음 때문에 문제가 생긴다. '나는 옳고 너는 틀리다'는 생각이다.

내가 옳다고 생각하는 방식대로 다른 사람의 삶을 바꾸려고 한다면 나의 에너지가 방출되고 상대방에 상처와 고통을 주어 지치게 만들고 결국은 단절된다. 사람의 타고난 유형은 결코 바뀌지 않는다. 다만 의식 수준이 바뀔 뿐이다.

사람의 관계는 어쩌면 그 중심에 자신을 두고 자기와의 생각과 방식이 다른 사람을 바꾸도록 끊임없이 요구하는 것이다.

자식은 더욱 그렇다. 부모의 생각과 방식대로 고치고 바꾸어 따르도록 집요하게 강요한다. 결국은 그 누구도 자신의 생각과 방식대로 바꾸거나 고쳐지지 않는다는 사실을 뒤늦게 알게 된다. 사람은 자기의 타고난 유형과 타고난 성격대로 살아갈 뿐이다.

또 한 번의 생일

간밤에 잠자는 이부자리를 챙겨야 했다. 기온이 뚝 떨어졌다. 여름이 어제였는데 오늘은 겨울 초입 같은 날씨다. 환절기는 감기조심 몸조심해야 하는 철이기도 하다.

계절은 10월 10일, 음력 9월 15일이다. 오늘이 내 61번째 생일이다. 큰아이 소경이 생일은 양력 10월 6일이다. 내 어머니 말씀으로 자식과 같은 달에 생일이 겹치면 자식의 생일은 하지마라고 하셨다.

최근 수년간은 자식의 생일과 아비의 생일을 제대로 해본 적이 없다. 바쁜 자식들을 억지로 불러 불편을 주지 않기 위함이기도 하지만 사는 것이 팍팍하니 그러려니 하고 씁쓸함을 삼키며 지내왔다.

올해는 딸자식의 생일을 해주기로 했다. 10월 9일 일요일 점심을 본가에서 함께했다. 잘나도 내 자식이고 못나도 내 자식이더라. 몇 해 만에 가져보는 본가에서 작은 생일 파티다. 함께해서 고맙다는 말과 음식 준비한다고 수고한 아내의 노고를 덕담으로 전했다.

가족이라는 존재, 함께 한집에서 오순도순 살아가는 모습이 아름답기도 하지만 각자의 모습으로 사는 것도 나쁘지는 않다. 자식이 성인이 되면 독립해서 사는 것이 바람직하다는 생각이다. 나는 자식들의 삶에 크게 관여하지 않는다. 하고 싶은 것 하고 자유롭게 살기를 바란다. 어려울 때 본가로 들어오면 잠재워주고 밥은 먹여 줄 테니 '자신감으로 당당하게 살아라.' 하고 주문한다.

어미라는 사람은 아비의 느슨한 자식관에 대해 늘 불만과 지적을 한다. 자식의 삶을 잘 챙겨 제대로 자기의 삶을 살도록 길을 인도해 주기를 바라지만 난 그렇지가 못하다.

아침에는 장모님 돌봄을 잠시 했다. 그냥 이야기를 들어주고 "잘 했어요."하고 응원해 주었다. 주간에는 노인주간보호센터에 나가시고 주말에는 내 집에 모시고 와서 돌봄을 하고 있다. 노친네 기가 많이 죽었다.

나이 들고 힘 빠지고 몸 아프니 숙일 수밖에 없다는 인생의 진리를 알고 계신다. 육신의 건강이 훨씬 좋아지기를 기대하기는 어렵겠지만 지금 상태쯤이라도 오래 유지하면서 함께 살아갔으면 좋겠다.

간단한 점심 식사를 하고 자식들은 또 그렇게 자기들 길로 가고 아내와 나는 늘 하든대로 그 자리에 머물러 있다. 씁쓸한 생일날 이지만 가끔 짧은 시간이라도 가족이 함께 할 수 있는 시간을 가질 수 있도록 노력하는 아버지가 되어야겠다는 생각을 또 하게 된다.

오피스에 오는 길에 교보문고에 들러 생일 기념으로 책 3권(문장과 순간-박웅현, 방구석 미술관-조원재, 역행자-자청)을 샀다. 아침에 아내의 동생이 생일선물로 보내온 문화 상품권으로 결재했다. 형부 생일이라고 선물도 보내고 고마운 사람이다. 볕 좋은 가을날에 식사라도 대접해야겠다.

감 따러 가요

가을을 밀어내는 깜짝 추위가 하늘과 땅에 내려왔다. 내 고향 청도의 아침도 한기가 느껴진다. 작은 호수에는 물안개가 피어오르고 들녘과 산록지대는 짙은 안개가 자욱하여 천지를 구분 할 수가 없다. 찬 이슬이 이슬비가 되어 쑥부쟁이 꽃잎에 사뿐히 내려앉았다.

농부는 어제 보다는 더 옷매무새를 두텁게 차려입고 아침을 서둘러 맞이한다. 10월은 반시감 수확 철이다. 씨 없는 반시감은 청도의 보물이고 자랑이다. 농부들의 삶의 밑천이 되어주고 소득원이 되었다. 허리 굽은 어머니도 객지나간 자식들과 손자들도 작은 일손을 거들고 있다.

내 어머니 농장에도 오늘은 아들 셋과 며느리 둘, 손자 셋. 둘째 며느리 친구까지 일손을 함께하고 있다. 명절 날 아침처럼 식구들로 소리가 왁자지껄하다. 올해 어머니네 감 농사가 동네에서 1등이라고 이웃들이 칭찬 한다고 어머니께서 만족서러워 하신다. 잘된 농사는 농부의 자랑꺼리다. 형들이 행하는 농사일, 그들은 반 농사꾼 이지만 나름대로 감 농사에 대한 노하우를 쌓아가고 있다.

동네에서 1등 감 농사꾼의 한마디 "감 농사는 약발이다"라고 했다. 농약을 잘 뿌려야한다는 것이다. 일반적으로 농협에서 권하는 값비싼 농약을 정기적, 포괄적 방제보다는 돌발 병충해에 직접 대응하는 맞춤형 방제 방법이 훨씬 효과가 크다는 사실을 어머니 아들 농부는 터득했다.
1년 내내 농부들은 엇비슷하게 감 농사를 짓는다. 겨울에 전정하고 봄부터 비료주기, 농약뿌리기, 풀베기 등 봄·여름·가을을 무사히 지켜 내고서야 비로소 수확 철에 도달한다.

엇비슷하게 보이지만 수확 철 결과는 하늘과 땅 차이다. 수확물은 상품이고 또한 돈이다. 반시감 농사꾼의 농사 결과물은 지금쯤 수확 철에 철저한 결과물로 나타난다. "감 농사는 어설프게 지으려면 그만 두는 편이 낮다"고 한다.
엇비슷 힘들게 봄부터 여름·가을 계절을 지나지만 수확 철에 상품으로 가치가 현저히 떨어지기 때문이란다. 소위 헛고생만 한다는 것이다. 하려면 제대로 하고 그렇지 못하면 안 하는 것보다 못하다는 삶의 진리와도 상통한다.

이 계절에 고향 사람들이 인사말로 하는 말이 있다. "주말에 감 따러 가시지요"라는 말이다. 한때 온 가족의 노동력이 필요한 때도 있었다. 지금은 판매 방식이 다양하여 집약적으로 수확을 하기 때문에 예전 같지는 않지만 감을 따는 일은 변함이 없다. 손으로 직접 하나 둘 따야 하기 때문이다.

아침의 찬 공기와 이슬도 햇살이 거두어 가고 가을볕이 농부의 등짝에 땀방울을 맺히게 한다. 오늘 어머니 슬하의 삼 형제는 함께 작업을 하지 않고 각자의 감 밭에서 작업을 한다. 육신이 불편한 어머니는 큰아들 내외와 함께 하고, 둘째 아들은 자기들 식구끼리 하천 건너편 감 밭에서 작업을 하고 있다. 셋째 아들은 자기가 가져가려고 상자포장 작업을 또 다른 밭에서 하고 있다.

감 상자포장을 하려면 단단한 땡감을 따서 작은 가위로 감 꼭지를 제거하고, 크기 등을 선별한다. 박스는 모양을 만들어 테이핑을 한다. 감 숙성 유연제를 솜 같은 거제에 적셔 상자 아래에 넣고 크기에 맞게 선별된 감을 상자 속에 가지런히 2단을 넣어 밀봉 테이핑을 한다.

포장 후 4일에서 5일 정도 지난 후에 상자를 개봉하면 빨갛게 잘 익은 홍시로 변해있다. 청도 반시감은 상자위에 "언제 개봉을 하세요."라는 문구가 있다.

맛있는 감 홍시가 먹는 사람의 입에 들어가 달콤함을 전하기까지 농부의 땀과 여러 과정을 거치게 된다. 농부는 오늘도 감 익는 소리를 들으며 감 밭에 있다. “주말에 또 감 따러 가요.”

주산지를 만났다

깊어가는 가을, 시월 스물 사흘 날 오후, 고즈넉한 시간에 「주산지」라는 작은 연못을 만났다. 물속에 뿌리를 내려 300년을 살고 있다는 '왕 버들' 나무를 내려 다 보고 있다. 산중에 있는 작은 연못이 이렇게 유명세를 타고 있다니 아이러니 하다. 1845년 미국 매사추세츠 콩코드 어느 마을에 헨리 데이비드 소로가 살았던 「월든」 호수의 한 모퉁이를 연상케 한다.

「주산지」는 주왕산 국립공원 구역이다. '청송군 주왕산면 주산지리 73' 이라는 지리적 위치를 가지고 있다.

조선 20대 왕인 경종 때(1721년)에 농업용수를 가두기 위해 축조된 인공 저수지로 길이 200m, 너비 100m, 깊이 8m 그렇게 크지는 않다. 2003년 영화 '봄 여름 가을 겨울 그리고 봄' 촬영지로 유명세를 탔고 지금은 주왕산과 함께 관광명소로 이름을 날리고 있다.

내가 「주산지」를 직접 만나기는 오늘이 처음이다. 마음에 담아 두었던 그곳에 잠시 머물고 있다. "아름답다. 참으로 아름답구나." 소리가 내 몸 안에서 연거푸 나온다. 아름다움은 보는 사람의 눈 속에 있다고 하지만 눈으로 담기는 많이 부족 하여 온 몸에 담아 본다.

가을의 선녀가 내려 올듯한 아름다움을 이렇게 담는다. 가을의 그림자가 주왕산 상봉을 타고 산등성이를 돌아 계곡을 훑아 호수의 바닥까지 내려왔다. 잔잔한 호수 물 위에는 가을바람이 다녀가는 소리가 잔잔히 들리고, 물가에 가지런히 뻗어있는 단풍의 행렬은 숲의 향기와 숨결을 품어내고 있다.

물속에 뿌리를 묻고 있는 덩치 큰 왕 버들은 가을 하늘의 그림자를 물속에 담그고 있다. 내 마음도 호수의 정취에 빨려든다.

아름다움을 온몸에 담기에는 여건과 시간이 허락하지 않는다. 탐방객으로 가득 찬 호숫가는 금새 시끌벅적 하다. 사진 찍는 사내의 무리, 감탄사를 연발하는 아낙들, 갑자기 떨어지는 빗방울로 인해 주변이 더욱 소란스럽다.

아쉽다 잠시 눈도장만 찍고 돌아서기엔 너무나 아쉽다. 돌아 나오는 길에 청송 사과 막걸리를 한 사발 마셨는데 사과 맛은 나지 않았다.

오전에는 주왕산에 있었다. 설악에서 시작된 단풍의 물결이 오늘은 주왕산을 지나가나보다. 산도 사람도 모두가 단풍의 색깔을 하고 있다. 주왕산 국립공원 초입에서 기념 촬영을 위해 현수막을 펼쳤다. 「관하초등학교 26회 동기회 가을산

행」 코 흘리게 때를 함께한 소년 시절 친구들과의 가을 단풍놀이를 했다.

아침이 오기 전에 관광버스는 부산에서 출발하여 청도에서 친구들을 태우고, 대구에서 또 새로운 친구들을 태워 주왕산까지 달려왔다. 26회 동기회에 26명이 참석 했다고 잠깐 감탄했다.

어느 듯 숱한 세월을 살아온 시절을 돌아보니 우리는 할배가 되고 할매가 되어 있다. 국민 학교 코 흘리게 검정고무신 추억을 함께 나눌 수 있는 친구들이다. 각자가 살아온 모습은 다르지만 현재 건강히 함께 웃음을 나눌 수 있음이 그래도 잘 살아온 결과물 이라고 누군가가 얘기를 했다.

친구라고 하지만 친구가 아닌 사람들, 서로의 삶을 자세히 알지 못하기에 친구라고 부르기는 부족하지만, 그래도 끈끈한 친구다. 그것은 뿌리가 엇비슷하기 때문이다.

은퇴한 친구도 그렇지 않는 친구들도 있다. 공통적인 화두는 건강 이었다. 나는 건강에도 두 가지가 있다고 전했다. 몸도 건강해야 하지만 마음 건강도 몸 건강 못지않으니 나이 들어 마음을 잘 다스려야 한다고 소고를 말했다. '외롭지 않게 우울하지 않게 상실감에 빠지지 않게'

아름다운 이 가을, 내 삶의 가장 젊은 오늘 소꿉친구들과 함께 가을을 따라 걸었다. 가을을 따라 가다보면 또 겨울을 만나게 되겠지.

커피 한 잔의 여유

오랜만에 해보는 것이 있다. 아침에 본가 거실 소파에 깊숙이 엉덩이를 밀어붙이고 커피 한 잔을 마시고 있다. 캡슐커피 기계에서 내린 것이지만 명품 커피 못지않게 크레마가 적당히 덮여있는 뜨거운 아메리카노 맛도 향도 최상이다.

최근 들어 본가에서 아침식사와 커피를 마시는 일은 너무 오랜만이다. 오늘이 11월 둘째 금요일이다. 거실의 TV 화면 속에는 인간극장이 끝나고, 아침마당이 방영되고 있다. 아내도 옆에 나란히 함께한다. 두 백수가 늘 하는 행위를 오늘 아침은 오랜만에 같이하고 있다.

엊그저께 지나가는 가을을 타고 울진과 포항에 여행을 다녀왔다. 함께한 그들도 가을 단풍 바람 타고 왔다고 반가움을 전했다. 청주에서 대구에서 안동에서 포항에서 각각 왔고 나는 부산에서 갔으니 전국구는 아니지만 충청과 경상도의 만남이다. 우리는 고교 학창 시절의 동창이다. 울진에 살고 있는 또 다른 절친의 배려로 울진 덕구온천 인근 구수곡 휴양림 산중에서 하루를 묵으며 가을을 보내고 지난 시절의 회포를 풀었다.

사람은 누구나 긴 인생여정 길에 기억하고 싶지 않은 숨겨두고 싶은 때나 시기가 있기 마련이다. 나는 내 인생에 가장 자신 없고 기억하고 싶지 않은 때는 아마도 고교 학창 시절부터 군대 가기 전까지 5년 정도 기간이다.
왠지 그때 시절은 가만히 감추어두고 싶다. 그러기에 그 시절 친구들과 공식적이 모임을 함께하거나 깊은 교류도 하지 않고 그냥 그렇게 이방인 같이 살고 있다. 어설프고 서글프고 철없던 시절이지만 바꿀 수 없는 과거이고 지워지지 않는 내 삶의 한 부분이기에 가만히 묻어두기로 한다.

세월이 한참 지나고 은퇴를 하면서 골프 운동 함께하자는 그때 친구들의 마음에 끌려 먼 곳에 있는 친구들과 함께하고 있다. 울진 마린cc의 바닷바람도 죽변항의 아귀탕 맛과 해안 스카이 레일 투어도 잊지 못할 추억이 되었다.
울창한 숲속의 포항cc는 마치 통도cc의 느낌도 있지만 처음으로 만나는 그곳들이 낯설지 않았고 정겹기만 했다.

'더 늙기 전에, 더 늦기 전에, 잊어버리기 전에 해야 한다'는 나의 평소 지론대로 소중한 그들과의 관계를 잘 시작했구나 하는 뿌듯한 마음이 든다. 누구나 소중한 각자의 삶이 있다.

그냥 막 나가지 않고 급하지 않게 관계를 하면 좋겠다. 매월 한 번의 만남을 하기로 했다. 함께한 그들도 나도 계속 늙어갈 것이고 건강을 잘 지켜서 오래오래 함께 할 수 있기를 기대한다.

릴랙스(Relax) 하게

11월 셋째 주말 아침이다. 본가에서 맞이하는 아침은 늘 비슷한 일상의 시작이었는데 오늘 아침은 사뭇 다르다. 알람 시간이 울리던 6시, 아직은 어둠이 가득한 때 주방에서 라면 냄새가 나더니 햇살이 비치는 시간에는 고등어 냄새가 난다.

이른 아침 라면 냄새는 밤새 일하고 들어온 아들이 라면으로 허기를 채우는 향기였고, 고등어 냄새는 아내가 아침식사를 준비한다고 풍기는 향기였다.

아내는 아침 식사를 차려놓고 “식사하세요.”하고 부른다. 본가에서 맞이하는 내 가족의 아침 일상의 모습이다. 아내와 둘이서 식탁에 마주 보고 앉아 별 말없이 고등어구이로 아침 식사를 하고 있다. 아들은 이른 시간에 조용히 라면 식사를 하고 자기 공간에서 밤새 지친 육신을 뉘고 있을 것이다.

아들의 삶이 애처롭지만 그냥 지켜보기로 했다. 스스로 자신의 삶을 깨닫고 헤쳐 나갈 수 있기를 기다리고 응원해 주기로 했다.

아내가 식탁의 긴 침묵을 깨고 “오늘은 일정이 어떻게 되나요.”라고 한다. “주말이니 릴랙스하게 휴식도 하고 책도 좀 읽고 그러려고 하오”라고 답했다.

아침식사 전에 옷가지를 잠시 정리했다. 여름 한철 입었던 옷들을 모아 옷장에 넣고 겨울옷들을 끄집어내어 벽 쪽에 설치된 일자형 행거에 그냥 걸어두었다. 여름옷들과 겨울옷들이 자리 바뀜을 했다. 옷들의 자리 바뀜을 잠시 들여다본다.

또 한 계절이 영원한 과거의 한순간으로 남겨지는구나. 겨울옷에게 자리를 내어준 여름옷들이 또 다음 여름에 다시 본래의 자리로 돌아올 수 있기를 기원해 주었다.

아침 식사를 하고 아내가 설거지를 시작하기 전에 본가를 나섰다. 오늘은 자전거를 타보기로 하고 문밖에 세워둔 자전거를 끌고 엘베를 탔다. 오랜만에 주인과 재회한 달림 애마에 올라앉아 동네 속으로 내 달렸다.

동네 한 바퀴를 돌아 부경대학교 캠퍼스 가장자리를 따라 편하고 안전하게 오피스에 도착했다. 뒷마당 자전거 거치대에 꼿꼿이 세우고 앞바퀴에 자물쇠를 채웠다.

늘 혼자 있는 내 공간 오피스 커튼을 벗기고 창문을 열었다. 아침 햇살이 창을 넘어 방바닥 가운데까지 들어왔다. 노트북을 열어 sbs 고릴라에 ‘아름다운 이 아침 김창완입니다’를 on 했다. “편안하다. 참 좋다”를 큰소리로 두 번 읊고 커피 머신 스위치를 켰다. 캡슐커피를 넣고 버튼을 눌렀다. 은은한 커피향이 작은 공간에 꽉 찬다.

지난밤에 잠시 졸았던 흔적들을 정리하고 탁자와 바닥청소를 잠시 했다. 바닥 청소는 빗자루도 청소기도 없으니 닦아내는 것이 좋더라. 작은 밀대 끝에 물티슈 2장을 고정하고 그냥 밀면 된다.

내 공간이기에 깨끗하고 청결하게 내 스타일대로 꾸미려 한다. 오늘 하루는 나를 위해 릴랙스하게 지내보련다.

책 부자

‘부크크’ 출판사에서 사과상자 1개 분량과 밀감상자 1개 분량의 책이 택배로 배달되었다. 〈편편 세상이야기 (1)(2)〉 각각 20권씩 40권이다.

금년 6월에 세상에 나온 〈편편 세상이야기〉 는 내가 쓰고 만들어 부크크에서 출판 되었다. 출판된 책을 작가인 내 돈으로 구입해 지인들께 선물로 전하고 있다. 약간의 비용 부담은 따르지만 내가 좋아서 하는 일이라 즐겁기만 하다.

요즘 사람들은 책 읽기를 그다지 즐겨하지는 않지만 작가가 전해준 책을 꼼꼼히 읽어 주기를 바랄 뿐이다. 글쓰기는 이제 내 일상이 되었고 책 출판 또한 내 만족이고 내 보람이다. 여러 지인들께서 별도의 서평을 보내 주기도 하고 칭찬과 격려의 말씀을 전해주니 삶에 힘과 의미와 가치가 높아진다.

최근 평소 좋아하는 前직장의 안홍준 선배님께서 〈편편 세상이야기 (1)(2)〉 를 읽고 서평을 전하면서, 고맙다는 표시로 책을 사주겠다는 전갈과 거액의 금일봉을 보내 주셨다. “작가님이 책을 구입해서 좋아하는 분들께 전해주면 좋겠다.”는 말씀도 덧붙였다. 눈물 나게 고맙고 감사한 일이다.

책을 읽어주고 서평을 전해 주는 것만으로 충분히 고마운 일인데 거금을 지원해 주시어 감사함을 거듭 전했다.

책은 그냥 보는 것이 아니라며 별도 시중 인터넷 서점에서 구입해서 읽어 주는 지인 분들도 여럿 계시고, 보내준 책에 대한 소정의 비용을 별도 주시는 분들도 계신다. 하지만 대부분의 사람들은 그냥이다. 그 또한 작가의 몫이다.

많은 분들이 즐겨 읽어주기를 바랄 뿐이다. 책 1세트 2권, 비용이 3만 1천원이다. 받는 분들은 별것 아니겠지만 작가는 비용부담이 있는 것은 사실이다.

책 쓰고 만드는데 고생했고 사비를 들여야 하는 부담도 있지만 내 삶을 들여다 봐주고 읽어 주는 것에 만족한다. 출판 초기에 "책 팔아 소주 사먹자"라고 노래했던 기대는 완전히 내려놓았다. 책 안 팔려도 소주는 꾸준히 먹을 수 있을 것으로 기대한다.

‘부크크’ 출판사에서 택배로 받은 책 박스를 열면 향긋한

종이 향과 아직도 식지 않은 인쇄기기의 따끈한 온도가 전해진다. 인쇄 공장에서 활자로 찍어낸 책을 따끈한 상태로 밀봉된 상자에 포장되어 전달되기 때문이다.

책의 향기는 작가의 향기로 전해진다. 향기 나는 내 분신 같은 〈펀펀 세상이야기(1)(2)〉 40권을 탁자위에 올려놓으니 뿌듯한 마음이 차오르고 금세 책 부자가 되었다.

내 삶에 작은 감동과 만족을 주신 선배님께 감사한 마음을 다시 전한다. "선배 회장님 감사합니다."

슬픈 겨울맞이

12월의 시작과 함께 찬 공기가 몰려왔다. 이제 본격적인 겨울의 시작인가. 옷매무시를 단단히 여미고 월동 태세를 갖춰야 할 때다.

몇 주일 전에 자전거 라이딩 함께 하자는 H친구가 있어 약속을 잡아 두었는데 바로 오늘 12월의 첫날이다. 날은 차지만 강바람 한번 맞고 맛있는 점심이나 할까 해서 가벼운 마음으로 자전거를 차에 싣고 양산 물금취수장 입구 황성공원에 당도했다. 늘 다녔던 익숙한 곳인데 차디찬 강바람만 매섭게 몰아친다.

H친구는 동호회로 보이는 일행들과 함께 있다. “이런 추운 날 무슨 라이딩을 한다고 하느냐”했더니, “그러게 추워서 어쩔까 하고 있다”라고 한다. 일행들은 아마도 날씨에 관계없이 늘 그렇게 라이딩을 즐기는 마니아들로 보인다. 70대 나이쯤으로 보이는 건장한 시니어 사내들 폼생 폼사가 예사롭지 않다.

먼 데서 왔으니 그냥 함께 달려보기로 하고 간단한 세팅을 끝내고 친구 꽁무니를 따라 페달을 힘차게 밟았다. 물금취수장을 지나 강물 위로 이어지는 데크 로드에 접어드는 순간 후회가 솟구친다. “이 추운 날 뭐 하는 짓이고, 미쳤구나.” 낙동강 칼바람이 육신의 껍질을 뚫고 내장까지 스며든다. 손끝이 시려오고 눈물이 솟아져 시야를 가린다. “겨울 라이딩 준비도 없이 따라 나섰구나.” 하고 속도를 줄이는데 앞서가는 친구가 멈춰서 뒤 돌아보고 있다.

과거 어느 날에는 수없이 달리고 또 달려도 그저 즐겁기만 했는데 이제는 육신의 에너지가 꺼져가나 보다. 20여 분 달려 서룡공원에서 얼어붙은 손을 녹이고 뜨거운 커피 한 모금으로 수축된 육신을 달랬다.

일행들과 하루의 라이딩을 함께할 자신이 없음을 고백했다. 그들은 그들의 길로 달렸고, 나는 내 길로 되돌아와야 했다. 친구에게 미안한 마음은 있지만 어쩔 수 없다. 친구는 되돌아오는 길에 동행해 잔치국수 한 그릇 사 주었다.

따뜻한 봄날에 함께 하자는 인사를 나누고 그는 일행들과 합류한다고 돌아온 길을 다시 돌아갔다. 나의 애마를 해체하여 차 트렁크에 싣고 씁쓸함을 남겨두고 왔던 길을 되돌아왔다. 62세 시니어의 올해 첫 겨울맞이는 이렇게 슬프게 시작했다.

펀펀 세상이야기 원고 校閱

삶의 특별한 족적은 남겨지지 않지만 가는 세월은 늘 지금을 과거로 밀어내고 있다. 잠시 머뭇거리는 사이에 12월도 초순이 훌쩍 지나가 버렸다. 괜한 수고를 했구나 하는 일들이 있는가 하면 그래도 참 잘 했구나 하는 것들도 있다.

〈펀펀 세상이야기〉를 책으로 엮어 세상에 알린 일은 참 잘했다는 생각에는 변함이 없지만 좀 더 잘 할 수 있었는데 하는 아쉬움이 가득하다. 서투른 내 방식대로 용감하게 질러 놓고는 후회가 되기도 하지만 아직도 진행 중이다.

최근 가까운 이웃에 계시고 내가 평소 좋아하는 이영기 형님께서 〈펀펀 세상이야기〉 서평을 전달해 주려고 오피스를 방문하셨다. 〈펀펀 세상이야기(1)(2)〉 2권을 온라인 서점에서 직접 구매해 꼼꼼히 읽었다고 하신다. 한참 동안 소감을 말씀하시고 칭찬과 격려를 덧붙여 주셨다. 더욱 감사한 것은 오탈자 10여 개를 찾아 간지를 끼워 전해주었다.

참으로 감사한 어른이다. 형님으로 부르는 내 마음이 뿌듯했다. 일반적으로 지금의 사람들은 책 읽기를 즐겨하지 않는다는 사실은 알지만 그래도 형님 같은 어른이 있으니 실망할 일은 아닌듯하다.
글쓴이의 소중한 마음을 공감해주고 곱씹어 읽어 주시는 분들이 많지 않지만 그 또한 어찌하리 사람들이 그런 것을.

〈펀펀 세상이야기〉 출간 이후 오탈자 수정 작업을 3회 했는데 아직도 誤字가 있으니 안타까울 따름이다. 글쓴이의 눈으로는 분명히 한계가 있나 보다.
부크크 출판사는 원고 수정이 가능하니 참으로 다행한 일이다. 출판된 책의 문장과 문맥은 다소 어설프지만 오탈자는 없어야 한다. 지금까지 300여권 정도가 책으로 인쇄되어 읽히고 있지만 어쩔 수 없는 일이다. 글쓴이로서는 읽는 분들께 그저 미안하고 송구스러울 따름이다.

또 한 번 원고 원본 교열 작업을 마무리하고 부크크 사이트에 원고 업로드를 완료했다. 출판의 모든 원고 작성과 수정 및 관리는 철저히 글쓴이의 몫이고 책임이다. 부족한 부분과 교열 대상이 발견되면 계속해서 원고 업로드 작업을 진행할 것이지만 이번 원고 교열 작업이 마지막이 되었으면 좋겠다.

처음만난 코로나

2022년 성탄절이다. 육신이 많이 아프다. 참고 견뎌 내기가 힘들다. 오늘이 4일째를 버티고 있다. 코로나 감염 증상이 사람마다 다르다고 하지만 이렇게 고통스러운 증상인 줄은 이제야 깨닫고 있다. 금요일부터 감기 증세로 목이 아프기 시작했는데 토요일 키트 검사에 빨간 두 줄이 보였다. 대수롭지 않게 생각했다. 전 국민 절반이 감염된 코로나, 주변분들도 그렇게 힘겹지 않게 7일간 격리하면 된다고 했는데 나만 아픈가 하는 의문이 든다.

오피스에서 본가로 거처를 옮겨 본격적이 코로나바이러스와 사투를 벌이고 있다. 나에게 침투한 이놈은 나의 약한 모가지를 공격 목표로 삼고 있나 보다. 목이 붓고 쪼여 목구멍이 막히는지 음식물은커녕 물 한 모금 침 한 모금 넘기기가 힘이 든다.

주말 이틀을 본가에서 로제트 식물같이 바닥에 엎드려 코로나의 습격을 꼼짝도 못 하고 고스란히 견뎌냈다. 먼저 아픔을 겪고 있는 아내도 죽을상을 하고 있다. 코로나에 유일한 약 타이레놀을 4시간 간격으로 두 알씩 먹어야 한다는 최상의 방법도 아내로부터 전수받았다. 진통제 타이레놀 아픔 고통만 잠시 도움 줄 뿐이다. 아무것도 먹을 수 없지만 뭐라도 먹고 이겨내야 한다는 아내의 말을 따랐다. 전복죽 몇 숟가락과 꿀 차와 물을 먹었다. 밤은 고통의 시간이었다. 1시간 간격으로 목의 고통으로 잠도 잘 수가 없고 온갖 신음과 실음 소리만 내 뱉게 되더라. 메리 크리스마스는 코로나 크리스마스가 되었다.

TV에서 올해의 마지막 주 월요일이라고 하는 오늘 아침에 동네 병원을 가려고 나섰다. S이비인후과는 9시 전인데도 환자들 10여 명이 순번을 기다리고 있다. 접수대 선생님이 " 어디가 불편 하세요"한다. "목이 너무 아파 코로나 검사와 처방을 받을까 해요"라고 답했다. 잠시 대기실을 피해 복도에 나와 순번을 기다렸다. 날이 추우니 감기 환자들이 많나 보다.

"이승국님 들어오세요"라는 말에 검사실에 앉으니 원장 선생이 직접 기다란 막대에 붙은 솜방망이 기구를 오른쪽 코 깊숙이 찌른다. 첫 경험치고는 나쁘지 않다. 간호사 선생님 안내로 병원 복도 건너편에 있는 격리된 공간으로 안내되었다. 잠시 후 그 간호사 선생님이 나를 데리러 왔다. 순번은 아닌데 원장님이 빨리 진료해 주신다고 했다. "코로나 확진이니 7일간 댁에서 격리하시고 3일분 약을 처방하겠습니다."라고 원장 선생님은 별일 아닌 듯 편하게 말을 한다. 특별한 치료제가 없으니 진통제 먹고 며칠 지나면 된다는 말로 들린다.

나는 처음이지만 수많은 코로나 처방을 했던 그는 편안하게 보인다. 진료비 5천 원, 약 3일분 4천 원을 지불하고 홈에서 격리를 이어간다. 오늘까지 4일을 아팠으니 아플 만큼 아팠다. 4일쯤 지나면 좀 나아진다고 하던데 아직은 전혀 좋아지지 않고 있다.

점심때 병원 약을 두 번째 먹고 그냥 스러져 잠이 들었다. 뜬금없이 울리는 핸드폰 소리에 눈을 떴다. "남구보건소입니다. 코로나 확진으로 1월 1일까지 댁에서 격리해야 하고~" 이것저것 여러 질문을 해댄다. 짧은 답을 해 주고는 "목이 많이 아픈데 도움 받을 일이 있을까요" 했더니, 특별히 없다고 했다.

저녁때 아내가 소불고기라도 먹고 힘내어 보자며 아픈 육신을 보듬고 고기를 사러 외출을 시도했다. 그래 고기라도 좀 먹고 기운을 내보자고 몇 젓가락 넘기는데 신물이 나오고 목의 고통이 머리부터 내려온다. 또 이 밤을 어떻게 견딜까 하는 한숨을 쉬면서 바닥에 육신을 뉜다. 아직도 모가지가 조여 온다.

은퇴 2년의 소고

은퇴 후 내 삶을 돌아보는 시간이 있고 또 다가올 삶을 어떻게 살아야 하는지에 대한 생각이 많아졌다. 그냥 혼자이구나 하는 마음이 든다. 준비되지 않은 삶을 2년을 살아 보니 어렴풋이 그 답이 보이는 것 같다.

인생에는 연습이라는 것이 없다는 사실, 건강을 최우선으로 해야 한다는 사실, 내가 직접 하지 않으면 아무것도 할 수 없다는 사실, 사람이 쉬이 변하지 않는다는 사실, 내 편이 별로 없다는 사실, 주변 사람들이 하나 둘 떠난다는 사실, 나를 자세히 아는 사람은 나밖에 없다는 사실, 오롯이 내 존재는 내가 증명해야 한다는 사실, 경제 활동이 생각보다 어렵다는 사실, 인생은 외롭고 우울하다는 사실, 잘 살든 못 살든 죽지 않으면 살아야 한다는 사실, ~사실. ~사실. ~사실.

결국엔 나는 나로 살아야 한다. 나를 욕해도 혼 밥을 먹고 혼자가 되더라도 남 탓하지 않고 내 방식대로 인연의 끈에 얽매이지 않고 자유롭게 살지어다. 누구나 주어진 시간은 같지만 늘 시간에 쫓기는 사람이 있는가 하면 누구는 시간이 넉넉하여 '뭐 하지 지겹다' '재미있는 일 없을까' 하고 사는 사람도 있다.

백수로 살아보는 삶인데 시간이 넉넉하지는 않다. 백수 과로사 한다고 했다. 특별히 생산적인 무엇을 하지 않아도 시간은 늘 흘러간다. 좀 더 계획적이고 일상의 라이프 플랜 프레임을 갖지 않는다면 별 의미 없이 그렇게 또 하루가 한주가 한 달이 한 해가 지나갈 것이다. 조금은 정제되고 계획된 시간이 필요하다는 시간에 대한 책임감을 느낀다.

누구도 내 삶을 간섭하지도 않고 침범하지도 않는다. 때로는 약간 긴장되고 소속된 에어리어를 갖는 것도 나쁘지 않겠지만 내가 거부했다. 약간의 비용을 투자하여 자유로운 내 공간 오피스를 만들었고 내 삶의 한 부분이 되고 있다. 참 좋다. 은퇴 후 2년을 살면서 가장 잘한 일 중에 하나가 되었다.

이제는 시간을 좀 더 체계적으로 관리해야 한다는 내면의 생각에 집중하고 싶다. 그냥 주어진 데로 살아보니 육신은 늘 바쁜데 실익과 결과가 미약하더라.

주어진 일상을 정해진 할 일을 하는 사람들은 특별한 시간 계획 없이도 주어진 일들 속에서 주중과 주말, 일과와 일과 외의 시간으로 구분하여 정해진 시간에 따라 자연스럽게 살아간다.

은퇴 3년부터의 삶은 조금 더 의미 있게 시간 계획과 일상의 삶의 프레임을 가지고 살아 보기로 한다.

癸卯年 삶의 키워드

새해가 밝았다. 한 해의 시작이라고 늘 설렘이 가득한 것은 아니다. 이제는 그렇게 설렘 따위를 느낄 만큼 기대와 긴장과 에너지를 느낄 수 없다. 또 한 해가 시작되는구나. 삶의 발전도 向上性도 채워 갈 수 없고, 희망도 벅찬 가슴도 뜨거운 열정도 기대할 수 없는 현실이지만 마음만큼은 새로운 한 해의 시작을 기쁘게 받아들이고 싶다.

새해의 시작이 은퇴 후 처음 살아보는 3년의 시작이기도 하다. 은퇴 1년과 2년 차 내 삶의 키워드는 '자유롭고 홀가분한 삶' 이었다.

자유롭고 홀가분한 삶을 살기로 했고 그렇게 사는 척했지만 실상은 그렇지 못했다. 육신의 상태와 외형은 자유로울 수가 있었지만 내면은 늘 갇혀있고 닫혀 있었다.

때로는 상실감과 소외감, 무기력증 의욕상실, 자존감 소실 등 매너리즘에 빠지기도 했다. 심리와 정신이 자유롭지 못했다. 뭔가 부족했고 내 위치와 방향을 허공에 날린 듯했다.

중심이 흐트러지는 삶에 원인이 있었다. 그것은 경제적 자유였다. 현실적으로 경제적 자유를 얻지 못함이다. 무항산 무항심이라 했다. 경제적으로 생활이 안정되지 않으면 제대로 된 자유의 마음을 가질 수 없다. 먹고사는 것에 걱정이 없어야 마음의 자유를 가질 수 있다.

아버지의 삶이란 늘 그랬다. 자식이라는 존재가 기대여 온다. 자식이 잘 살기를 바라는 부모의 마음과 같지 않게 자식의 잘못된 삶의 결과는 아버지의 몫이 되더라.

존재의 현실을 거스를 수 없기에 늘 경제적 정신적 손실을 보듬고 산다. 아버지가 원하는 은퇴자의 자유롭고 홀가분한 삶을 자식은 알지 못한듯하다. 그 또한 아버지의 몫으로 감당해야 했다.

사람은 각자가 가지고 있는 신념과 통찰력으로 살아간다. 신념도 통찰력도 없다면 자신의 삶을 주인공답게 주도적으로 살기는 힘 든다.

외세에 휘둘리지 않고 자신을 우주의 중심에 두고 자기에게 주어진 운명 같은 삶을 잘 지키고 가꾸어 행복하게 살아가야 한다. 은퇴자의 삶으로 처음 살아본 새 삶을 통해 작은 깨달음을 얻는 데 2년이 걸린 셈이다.

새해도 삶은 연속된다. 계묘년 토끼해 내 삶의 키워드를 '가치 있는 삶'이라고 정했다. 지난 시절 '자유롭고 홀가분한 삶'에서 '가치 있는 삶'으로 무게와 깊이를 키워 본다.

이제부터의 삶은 의미와 가치를 부여하고 싶다. 의미 있는 일을 찾아 가치 있는 삶을 살아 보기로 한다. 삶의 키워드를 단단히 세워두고 하나뿐인 인생을 살아가는 삶에 선택과 집중을 다하고 싶다.

2022년 송년을 보내면서 육신이 너무 아팠다. 송년과 새해를 제대로 정리하고 맞이하는 작은 의식도 열지 못할 만큼 육신의 상태가 불량했다. 새해는 건강을 최고 리스트에 올려놓는다.

영웅을 만났다

우리의 영웅 안중근 순국 100주년이었던 2010년에 '안중근 평전'을 읽었다. 독서노트에 빼곡히 적어놓은 글귀를 자세히 다시 읽는다. 2022년에 쓴 김훈의 소설 '하얼빈'을 읽고 우리의 영웅을 다시 만나는 계기가 되었다.

김훈은 '하얼빈'에서 안중근을 이렇게 썼다. 「안중근은 출입이 무상했다. 한번 나가면 멀리 다녔다. 아내에게 돌아올 날짜를 말하지 않았다. 몇 달씩 밖으로 돌다가 절기가 바뀌고 나서 돌아오는 일이 흔했다.

안중근의 아명은 '응칠'인데 아버지 안태훈은 어렸을 때부터 밖으로 나도는 아들의 기질을 눌려 주려고 무거울 중(重)과 뿌리 근(根)을 써서 중근으로 이름을 바꾸어 주었다. 개명은 중근의 기질을 바꾸지 못했다.

안중근은 밖에서 도모하는 일을 아내에게 말하지 않았다. 남편은 또 어디론가 떠날 것 같았다. 집에 와있을 때도 남편은 늘 나그네 같았다. 남편에게는 넘지 못할 낯섦이 있었다.

김아려는 남편 앞에 수줍어했다. 그 사내는 땅에 결박되어 있으면서도 땅 위에 설자리가 없었다. 김아려는 남편의 운명을 감지하고 있었다.

옥리들이 안중근의 몸을 마차에 싣고 가서 감옥 공동묘지에 묻었다. 하관 때 가는 비가 내렸고 문상객은 없었다. 안중근은 3월 26일에 죽었다. “나의 시체를 하얼빈에 묻었다 국권이 회복되면 고국으로 옮겨 달라”는 안중근의 유언은 묵살되었다. 27일 아침에 빌렘 신부는 기도했다. ”주여 우리를 불쌍히 여기소서. 주여 망자에게 평안을 주소서“」

소설 속의 영웅의 모습과 정신이 떠나지 전에 영화 ‘영웅’에서 안중근을 다시 만났다. "하늘이시여 도와주소서 우리 꿈 이루도록 하늘이시여 지켜주소서 우리 뜻 이루도록 장부의 뜻 이루도록" “나는 테러리스트가 아니다. 대한민국 독립군 대장이다”

1909년 10월 26일 중국 하얼빈 역에서 제국주의의 심장 이토 히로부미를 향해 6발의 총탄을 날린 우리의 영웅이다. 하늘이 도와주셨다 우리 뜻 이루도록 장부의 뜻 이루도록. 우리의 영웅은 1910년 3월 26일 31세 젊은 나이에 뤼순 감옥에서 순직했다.

영화 ‘영웅’은 뮤지컬이다. 영화를 보는 내내 코끝이 찡하고 눈물이 났다. 슬픔을 노래한 배우들의 명연기에 경의를 표한다. 그들이 전하는 메시지가 우리의 영혼을 일깨워 주기를 기대한다.

며칠 전 일본 언론 매체에서 '영웅' 영화를 폄하했다. '안중근은 테러리스트'라고. 나쁜 일본 놈들이다. 안중근은 우리의 영웅이다.

시대가 바뀌고 세대가 바뀌어도 우리의 영웅은 늘 영웅으로 살아 있다. 오늘 우리의 영웅을 통해서 새로운 깨달음과 조국과 나라란 무엇인가를 생각해 본다.

족적을 더듬다

사람은 과거와 현재의 일들을 미래에 기억하기 위해 기록한다. 기억력은 개인의 뇌 용량, 지능지수 IQ 등에 따라 차이는 있지만 모든 것을 기억하기는 불가능하다.

독일의 심리학자 헤르만 에빙하우스의 기억력 지속시간에 따르면 하나의 기억이 20분 후에는 50%, 다음 날에는 67%, 3일 후에는 75%, 한 달 후에는 80%가 사라진다고 했다.

전날 밤의 기억은 다음날 70% 가까이 잊어버린다. 하지만 잊어버려도 되는 것이 있고 잊어버리면 안 되는 것이 분명히 있다.

기록은 잊어버리는 기억을 가두어 두는 창고다. 언제라도 다시 끄집어내어 그때의 현상과 기억을 되새길 수 있다.

나에게 삶의 기록은 정서와 심리의 안정과 존재 가치를 심어주고 과거와 현재와 미래의 삶을 연결해 주는 고리가 되어 주었다. 현재 기록의 고리를 3가지 간직하고 있다.

첫째는 일상의 삶을 기록하는 소위 일기장 형태의 노트다. A4 크기 절반의 작은 잡 노트다. 현재 8권을 기록 중이다. 비밀스러운 이야기도 있지만 지나보니 큰 비밀도 아니더라. 내 삶의 흔적들은 결코 비밀이 될 수가 없다. 제1권의 시작이 2012년이니까 11년째 족적이 고스란히 기록되어 있다.

그곳에는 내 삶의 희로애락이 있고 인생 그 자체가 묻혀 있지만 모두가 지나온 일이다. 가슴 아프고 숨이 막히고 머리가 터질 정도의 힘든 일도 결국은 지나가는 것이고 지나고 보니 아무것도 아니라는 사실을 알게 해주고 깨우쳐 주었다.

둘째는 블로그 글쓰기다. 2018년부터 시작해서 1주일에 한 꼭지 정도를 썼다. 블로그 글들을 정리하여 2022년에<편편 세상 이야기>라는 제목으로 2권의 책을 부크크 출판사에서 출간했다. 온라인상에서 주문 생산 판매되고 있어 오프라인 시중 서점에서 볼 수 없는 점이 아쉬움으로 남는다.

셋째는 독서 노트다. 나에게 독서는 나를 성장시킨 밑거름이 되었다. 책 읽기를 본격적으로 시작한 것은 2011년부터다. 연간 40여권을 읽었다. 초창기는 대부분 구입해서 읽었고 최근에는 도서관을 이용한다.

나의 독서 습관은 책과 독서노트와 필기구를 꼭 지참하여 읽고 필사하고 느낀 점들을 늘 쓴다. 소위 책의 엑기스를 뽑

아내는 셈이다. 아름답고 좋은 문장 감동적인 글 들을 독서 노트에 빼곡히 써두고 되새김하듯이 수시로 펼쳐 읽는다. 좋은 언어를 찾아 따라 해보니 말도 문장도 내 것이 되더라.

늘 책을 가까이하는 습관이 나를 성장시키는 계기가 되었다. 책 읽기를 취미라고 하지만 나는 그렇지 않다. 많은 시간을 할애해야 하고 딱딱한 의자에 앉아 눈과 정신을 집중해야 했다. 머리로 그림 그리고 상상하고 사고해야 하는 두뇌 활동이다. 우리 시대의 대표 작가인 조정래 작가는 책 읽기와 글쓰기를 육체적 정신적 노동이라고 했다.

나의 글 쓰는 도구는 만년필 3개를 돌아가며 사용한다. 만년필에 검은색과 파란색 잉크 두 종류를 쓴다. 때로는 잉크 주입이 귀찮기도 하지만 옛 선비들의 먹물 가는 마음을 느끼니 불편함은 없다. 이제는 습관이 되어 다른 필기구는 사용하지 않는다. 만년필의 촉감도 잉크 향기도 좋다.

로제트(Rosette) 식물

로제트 식물을 방석식물이라고도 한다. 겨울에 지표면에 바짝 붙어 뿌리에서 발생한 잎을 장미 모양으로 펼치고 겨울의 추위를 견디며 생육하는 식물이다. 추운 겨울을 살아남기 위한 섭리를 따름이다.

낮은 자세와 겸손으로 세차게 불어오는 겨울바람을 온몸으로 받으면서 자신을 잘 지키고 산다. 질경이, 꽃다지, 지칭개, 망초, 달맞이, 냉이, 소리쟁이, 양지꽃, 기생초, 씀바귀, 뽀리뱅이 등이 있다.

그들이 살아가는 것은 오로지 견디는 것이다. 추운 겨울을 철저하게 지표면에 붙어 이겨내야만 봄을 맞이하여 생육과 생장을 통해 꽃피우고 열매 맺으며 존재의 가치와 역할을 다한다. 그것이 자연이다.

인간도 자연과 같이 사는 것이 최선의 선택이고 최고 삶의 지혜라는 것을 깨닫고 실천하며 산다. 시골에 사시는 어르신들의 겨울나기도 로제트 식물과 흡사하다. 코로나로 격리되었던 경로당이 이제는 사용할 수 있어 그래도 다행이다.

내 고향 동네의 경로당에도 로제트 식물같이 겨울을 견뎌내는 어르신들이 있다. 국가의 경로당 난방비 지원으로 집보다는 훈훈하고 따뜻한 환경에서 춥지 않게 지내신다. 동네에서 제일 젊다는 어르신이 74세다.

나의 어머니께서 올해 구순으로 제일 연장자라 하신다. 경로당 어르신 회원 숫자가 해마다 줄어든다. 작년에 3명이 줄었다. 2분은 북망산천으로 영원히 떠나셨고 1분은 요양병원으로 가셨다.

시골집을 떠나 요양병원이나 요양원에 가시는 어르신은 다시는 경로당에 돌아오기는 불가하다고 하신다.

죽던 죽지 않던 한번 떠나면 그것이 영원히 안녕히 되는 셈이다. 남는 자도 언젠가 먼저 떠난 그들을 따라가게 될 것이다.

떠나시는 분들도 떠나는 그날까지 무엇이던 자기 역할을 해오셨다. 농사의 끈을 놓지 못하고 초라한 시골집을 간수하고 가꾸며 자식들에게 피해를 주지 않으려고 끝까지 견디고 버티어 내신다. 아마도 어르신들의 정신력과 투철한 삶의 의지가 사명감으로 깊이 자리 잡고 있다.

올해 겨울도 견디고 버티고 나면 또 로제트 식물같이 새봄에는 활짝 기지개를 켜고 농사 현장에서 노동과 열정이 가득한 삶을 이어갈 것이다.

시골 어르신들의 삶이 도시의 어르신들과는 차이가 느껴진다. 어머니와 한 살 아래인 장모님의 삶을 통해 어르신을 다시 본다. 겨울을 견디는 로제트 식물과 온실에서 겨울을 보내는 식물의 차이로 느껴진다. 삶 그 자체의 의지와 사명감의 차이가 크다.

지난 삶의 흔적들이 고스란히 육신의 아픔과 고통으로 전해지는 것은 어쩔 수 없는 현상이다. 산다는 것이 오로지 견디는 것으로 보인다. 삶의 계획도 방향도 희망도 의욕도 잃어버렸다. 오로지 자는 잠결에 조용히 떠나는 것이 바램이다.

어쩔 수 없는 현실이 어르신과 가족들 모두에게 안타까움으로 다가온다. 어르신들의 현재의 삶이 먼 훗날 우리의 모습 같지 않을까 하는 생각이 든다.

그래도, 좋아요

가장 낮은 곳에/ 젖은 낙엽보다 더 낮은 곳에/ 그래도라는 섬이 있다/ 그래도 살아가는 사람들/ 그래도 사랑의 불을 꺼뜨리지 않는 사람들/ 세상에서 가장 아름다운 섬, 그래도/ 어떤 일이 있더라도/ 목숨을 끊지 말고 살아야 한다고/ 천사 같은 김종삼, 박재삼/ 그런 착한 마음을 버려선 못쓴다고/ 부도가 나서 길거리로 쫓겨나고/ 인기 여배우가 골방에서 목을 매고/ 뇌출혈로 쓰러져/ 말 한마디 못 해도 가족을 만나면 반가운 마음/ 중환자실 환자 옆에서도 힘을 내어 웃으며 살아가는 가족들의 마음속/ 그런 사람들이 모여 사는 섬, 그래도/ 그 가장 아름다운 것 속에/ 더 아름다운 피 묻은 이름/ 그 가장 서러운 것 속에 더 타오르는 찬란한 꿈/ 누구나 다 그런 섬에 살면서도/ 세상의 어느 지도에도 알려지지 않은 섬/ 그래서 더 신비한 섬/ 그래서 더 가꾸고 싶은 섬, 그래도/ 그대 가슴속의 따스한 미소와 장밋빛 체온/ 이글이글 사랑에 눈이 부신 영광의 함성/ 그래도라는 섬에서 그래도 부둥켜안고/ 그래도 손만 놓지 않는다면/ 언젠가 강을 다 건

너 빛의 뗏목에 올라서리라/ 어디엔가 걱정 근심 다 내려놓은 평화로운/ 그래도, 거기에서 만날 수 있으리라. (그래도라는 섬이 있다 / 김승희)

세상에서 가장 아름다운 섬 '그래도' 어른들의 술자리 인생에는 '부도'와 '따라도'가 있다. '그래도'에서 살아있어야 '부도'와 '따라도'를 만날 수 있다고 농담을 한다.

어른이라고 다 어른은 아니더라. 어른도 육체적 어른과 정신적 어른이 있다. 나이를 먹고 신체가 성숙되면 어른이고 싶어 하고 어른의 권리를 누리려 한다. 그것은 슬픈 어른들의 모습이다. 어른이라면 인간으로서 최소한의 기본적 도리와 책임과 의무는 갖추어야 한다. 스스로에게 "당신은 진정한 어른입니까"라고 묻는다.

우리는 늘 지정된 틀 속에서 살아가고 있다. 공동체는 공동체가 약속한 법과 관습에 의해 세워진 사회적 규칙을 지키며 산다. 공동체가 약속한 사회적 규칙은 공동체가 함께 일때 필요하지만, 홀로 사는 사람은 공동체와의 약속 보다는 개인의 독립체와 약속한 최소한이 범주를 지키며 자유로이 살아간다.

빗질 자국이 남아있는 마당이 빗질 자국조차 없는 마당보다 깨끗해 보인다고 했다. 스스로의 모습이 흐트러지지 않게 올바른 빗질을 해야 한다.

오늘도 '그래도'라는 섬에서 빗질 자국이 남아 있는 마당에서 정신적 어른으로 부자처럼 보이기보다는 부자의 삶을, 자유롭게 잘 사는 것처럼 보이기보다는 잘 사는 삶을, 건강해 보이는 것보다는 진짜 건강한 삶을 살아야 한다.

평정심

우주의 시계는 현재를 늘 과거로 밀어내고 있다. 새해가 시작 된지도 40여 일이 지나고 있지만 새해라고 특별히 달라지거나 변화된 것은 없다. 하나의 차이가 있다면 과거와는 점점 멀어지고 있음이다.

새롭게 만나는 사람보다는 멀어져 가는 사람 잊혀가는 사람이 늘어나고 있다. 현실의 형태도 타인들의 중심으로 흘러간다. 나 자신은 나의 중심일 뿐 사회적 중심에서는 점점 멀어진다.

유난히 춥고 길게 느껴지는 올겨울 로제트 식물처럼 보내면서 또 하나의 깨달음을 찾았다. 그것은 '편안한 마음, 평정심'을 가지는 것이다.

'平靜心'의 사전적 의미는 감정의 기복이 없는 평안하고 고요한 마음, 외세에 흔들리지 않고 강건한 내공으로 편안한 마음을 유지하는 것이다. 마음의 평화와 평정심은 내 머릿속에서 시작 된다.

노후에 직면하는 현재의 삶이 경제활동으로 인한 씁쓸함, 가족 문제로 인한 애달픔, 현직의 상실감으로 인한 공허함, 소외감으로 인한 정서적 결핍, 불확실한 미래에 대한 불안감, 아쉬운 인간관계에 대한 외로움, 금전적 부족함에 대한 경제적 구속, 육신의 노화에 대한 건강 상태, 하고픈 욕구를 충족하지 못함에 대한 스트레스 등 그 모든 것이 편안한 마음을 가지지 못하게 하는 원인들이다.

인생의 리즈 시절이 지나버린 지금의 삶에서 가져야 하는 최상의 정신은 '마음의 평정심'이다. 자유롭고 행복한 삶을 위하여 반드시 가져야 하는 명제인 평정심을 잃지 않고 어떻게 유지하며 살 것인가.

비우고 내려놓고 기도하며 그러려니 하고 살아야 한다. 알 수 없는 미래를 미리 겁낼 일은 아니다. 그러려니 하고 맘 편히 살자. 바뀔 것 하나도 없다. 나는 그저 나일뿐이다.
평정심이 나를 지켜내는 최고의 힘이다. 어떤 상황에 처해 있든지 생각만 조금 바꾸면 평화로운 삶을 살 수 있다. 길은 언제나 열려있고 선택권은 당신에게 있다.

혜민 스님의 위로의 글 '그러려니 하고 살자'를 곱씹어 읽으면 편안한 마음 평정심을 유지하는 데 도움이 되더라.

「인생길에 내 마음 꼭 맞는 사람이 어디 있으리. 난들 누구 마음에 그리 꼭 맞으리. 그러려니 하고 살자. 내 귀에 들리는 말들 어찌 다 좋게만 들리랴. 내 말도 더러는 남의 귀에 거슬리려니 그러려니 하고 살자.

세상이 어찌 내 마음을 꼭 맞추어주랴. 마땅찮은 일 있어도 세상은 다 그러려니 하고 살자. 사노라면 다정했던 사람 멀어져 갈 수도 있지 않으랴. 온 것처럼 가는 것이니 그러려니 하고 살자. 무엇인가 안 되는 일 있어도 절망하지 말자. 잘 되는 일도 있지 않던가. 그러려니 하고 살자.

더불어 사는 것이 좋지만 떠나고 싶은 사람도 있는 것이다. 예수님도 사람을 피하신 적도 있으셨다. 그러려니 하고 살자」

리즈(Leeds) 시절

간밤 퇴근길에 가벼운 빗방울을 맞았다. 아침이 오는 시간이 더딘 것으로 보아 아직 비가 오나 보다. 거실의 굳게 닫힌 큰 유리 창문을 열어 밖을 내다보니 가는 비가 오고 있다. 비 오는 주말 아침 센티할 수도 있지만 촉촉하고 상쾌함이 전해진다.

봄비 참 좋다. 잠시 창밖을 물끄러미 내려다보다 거실 서재에 앉아 기타를 들고 '그대는 봄비를 무척 좋아하나요. 나는요 비가 오면 추억 속에 잠겨요"를 한 소절 읊어보았다. 비 오는 아침 추억과 지난 삶의 흔적을 잠시 떠올려 본다.

세계적인 문리학자 알버트 아인슈타인은 시간을 이렇게 말했다. '누구에게나 신께서 주어진 시간은 같지만 쓰는 시간은 제각각 다르다'라고.

누구에게나 주어진 시간을 내 것으로 쓰는 것보다 내 것이 아닌 시간으로 쓰는 것이 대부분이다. 성장과정에는 부모의 시간으로 사회인으로서는 일터의 밥벌이 시간으로 어른이 되어서는 자녀와 부모의 시간으로 긴 세월을 살아간다.
베이비부머 세대인 이승국이라는 사람도 그랬다. 책임과 의무를 다해야 하는 삶 속에서 내 것 내 시간이란 것을 모르고 살았다.

서울 올림픽으로 온 나라가 손님맞이로 분주하던 그 시절에 공직에 문을 두드려 열고 들어갔다. 혼란한 나라 사정을 염려해야 했고 사회적 의무와 헌신을 강요당해야 했던 베이비부머 세대의 한 사람으로 청춘을 나라 발전과 함께 했다.
박봉에 알뜰살뜰 절약이 미덕이고 한 푼 두 푼 아끼고 모아 적금통장을 만들었다. 가정을 이루고 단칸방살이로 시작하여 투 룸 전세로 늘려가고 은행의 빚을 내어 작은 내 집을 마련해 잠시 좋아했다. 그리고 오랜 기간 그 빚을 매월 갚았지만 퇴직 때까지도 갚아야 했다.
퇴직 후에도 안락한 삶을 살기보다는 그저 주어진 시간대로 살아갈 뿐이다. 신체와 정신의 자유는 가졌지만 경제적 자유를 갖지 못했으니 아직은 진정한 자유인 반열에는 도달하지 못하고 있다.

현재의 삶은 지난 삶의 결과물이다. 과거의 삶을 두고 공통적으로 하는 말 '우리는 머슴같이 살았어.' 그랬다. 머슴 같은 삶을 살았지만 아직도 머슴이다.
베이비부머 세대를 샌드위치 세대라고도 한다. 부모에 대한 의무감과 자식에 대한 책임감으로 이중적인 부양 부담을 안고 있다.

육신도 점점 늙어갈 것이고 미래의 삶 또한 과거와 현재보다는 그다지 나아지지 않을 것이라는 진실을 알고 있다. 그렇다고 너무 기죽을 필요는 없다. 과거의 삶보다는 현재의 삶이 더 중요하니까.

리즈시절(Leeds 時節)이라는 신조어가 있다. 지나간 전성기를 일컫는 말이다. 내 삶의 리즈 시절은 언제였을까. 특별히 '전성기였다'라고 손꼽을 것은 없다.

지난 세월의 삶은 거의 내 시간으로 살지 못했다. 이제는 가능한 내 중심으로 살기로 한다. 나에게 주어진 삶을 내 시간과 내 속도대로 살아간다면 오늘이 바로 나의 리즈 시절이 될 것이다. 당신의 리즈 시절은 바로 지금입니다.

雨水에 젖었다

우수에 비가 오면 풍년이 든다고 했는데 우수 절기에 비가 왔나 보다. 봄비 따라 봄이 서둘러 오려나 보다. 일요일 아침도 더디게 오는듯하여 창문을 열어보니 또 비가 왔다. 어제 아침에도 그랬는데 오늘 아침도 비가 내렸다.

먼 나라 미국 캘리포니아에서 하고 있는 '제네시스 인비테이셔널 골프 대회' 중계를 연 3일째 보고 있다. 코리아 제네시스가 후원하는 대회로 총 상금 257억 원, 우승 상금 46억 원이다. 내일 최종 라운드를 남겨 놓았다. 골프 황제 타이거 우즈가 출전한 경기라서 더욱 흥미가 있다. 휴일 아침 널브러져 누워 골프경기 중계를 보는 재미도 솔솔하다.

건너편 방에서 심한 코고는 소리가 몇 차례 들리더니 고요하다. 나는 거실 바닥이 침실이고 아내는 자기 룸 침대에서 잔다. 언제부터인지는 모르지만 아주 오래전부터 늘 그래왔다.

아이들이 모두 독립하고 빈방이 두 개나 있는데 청승맞게 거실 바닥에서 자느냐고 아내가 핀잔을 주기도 하지만 귀담아 듣지 않는다.

아침 한 끼는 홈에서 아내가 차려주는 식사를 한다. 가끔 "뭐 드실래요. 먹고 싶은 것이 있나요"라고 묻기도 하지만 나는 요구하지 않는다. 다만 "그것은 그대 소관입니다"라고 한마디 해준다.

밥을 준비할 때도 있고 떡국을 준비할 때도 있지만 개의치 않는다. 차려주는 음식을 그저 고맙고 감사한 마음으로 맛있게 먹는다.

어제 아침은 가족 식당을 이용했다. 내가 정해놓은 우리 동네 가족식당은 두 곳이다. 한 곳은 소고기 국밥이 유명한 '참소 국밥집'이고 다른 한 곳은 순두부로 유명한 '거창 맷돌 순두부 집'이다. 홈에서 자동차로 5분여 거리에 있다.

속 풀이는 소고기 국밥집이 좋고, 구수한 쌀밥은 맷돌 순두부집이 좋다. 순두부집은 내가 좋아하는 잡채와 나물 두세 가지에 떡볶이 등 셀프 코너가 별도 있다.

순두부 보다 잡채가 더 맛있다. 큰 접시에 가득 먹는다. 평소 아침 식사보다 두 배는 과식을 하지만 아침 한 끼로 점심까지 때울 수 있어 나쁘지 않다.

식사를 삼시 세끼 시간 맞춰 먹을 필요는 없더라. 배고플 때 먹으면 되더라. 든든한 아침을 먹으면 저녁때까지 배고픔이 없으니 굳이 하루 세 끼를 다 찾아먹을 필요는 없다. 가능한 적게 먹고 많이 움직이려고 애쓴다.

일요일 아침 특별한 일정도 없으니 바쁠 일도 없다. 지난주에 보고 싶은 책(단사리 마음혁명/김병완)이 있었는데 동네 도서관에는 목록이 없어 통합 도서 목록을 검색해 보니 가장 가까운 곳이 서동 도서관 이었다.
자동차로 잠시 이동해 비좁은 서동 도서관 주차장에 주차를 하고 처음 방문하는 낯선 곳에 발을 들여 놓았다.
규모는 크지 않지만 시립도서관이다. 정리 정돈이 잘 되어있다. 공공기관도 나름대로 특징과 차이는 크다.
서동 도서관이 우리 동네 도서관보다는 이용이 편리하게 되어있다. 주변에 인구가 많지 않으니 이용자는 훨씬 적어 보인다. 오전 11시를 지나지만 1층과 2층 열람실은 텅 비어 있다.
읽고 싶은 책을 찾아 잠시 열람석에 앉아보니 유리창에 들어오는 햇볕도 따뜻하고 고요하다. 참 좋다. 안락함과 편안함이 전해진다. 이런 것이 진정한 힐링이고 쉼이다.
우수 절기의 비온 아침에 낯선 곳에서 잠시 일탈의 시간이 너무 좋아서 소고를 이렇게 남긴다.

단사리 마음혁명(김병완) 첫 장을 펼쳐 첫 소절을 읽는다.
'참 행복의 길, 마음혁명/ 지난여름 어느 날 아침 도서관 가는 길에 엄청난 폭우를 만났다.

萇山 꼭대기를 만났다

음력 2월 초하루다. 머슴 날, 영등 날이라고 하여 머슴들의 수고를 위로해 주기 위해서 음식을 대접하고 영등 할미에게 한 해의 풍년을 기원하는 제를 올리는 날이라고 한다.

장산 자락 해운대 우동에 있는 성불사 절에 사람들로 넘쳐난다. 아마도 이월 초하루 기도하는 날, 정성을 들이려는 신도들이다. 중년의 여성들과 노년의 할미들이 대부분을 차지하고 있다.

절에서 이른 점심 공양을 제공하는 모양이다. 밥그릇을 들고 비닐하우스 천막 안에도 한데 벤치에도 돌담 아래도 옹기종기 모여 공양을 즐기고 있다.

나도 중년인데 기도나 드리고 맛있는 절 밥을 얻어먹으려 사찰 경내를 한 바퀴 돌아 공양간을 기웃거렸다. 반찬이 떨어져 공양을 중단했다고 아쉬워하는 아낙네들의 소릴 듣고서 줄 서기를 그만두었다.

장산의 숲길은 수만 길이 있지만 겨울철은 볕이 좋은 남서쪽 방향이 좋다. 지하철 벡스코 역에서 출발해 성불사 부처님께 잠시 기도를 올리고 임도코스로 진입해 선바위~칼바위~정상~중봉~옥녀봉~간비오산 봉수대~운촌 지하철 동백역까지 걸었다. 오전 11시에 입산해 오후 5시에 탈산했으니 6시간 동안 장산에 있었다.

장산 정상에는 6·25전쟁 이후로 군부대가 주둔하고 있어 신성불가침 지역으로 존재 되어 왔다. 정상아래 군부대 철조망 밖 큰 바위에 장산이라는 표식이 새겨져 정상 역할을 해왔다.

시대 변화와 장산 구립공원 지정으로 2022년 새해 첫날에 장산 정상(634m)이 일반인에게 개방되었다. 장산 구립공원의 지정과 장산 정상 개방은 또 하나의 역사가 되었다.

새로운 역사가 쓰이기까지는 많은 분들의 노력과 열정과 어려움이 있었을 것이다.

정상에 올라 하늘을 올려보고 부산의 도시를 내려다보며 수고하신 분들께 잠시 감사한 마음을 전했다. 부산의 도시와 바다가 한눈에 들어온다. 잠시 자리를 잡고 지난 시간을 회상해 보았다.

내가 처음 장산 정상을 올라본 때는 1997년쯤으로 기억된다. 해운대구청 소속의 공무 수행자로 장산 정상에 올랐다. 정상에 설치된 어떤 시설물을 점검하기 위해서다. 군부대 위병 근무자의 안내로 겹겹이 막혀있는 철망의 문을 열고 들어갔다.

국방색 군사 시설의 위엄과 군인들의 삼엄한 경계가 있었고 삼각형 모양의 빨간색으로 표시된 지뢰지대 푯말이 GOP 철책선 같았다.

그때 그 시절의 기억이 아직도 생생하다. 왜 그렇게 오랜 세월 동안 정상을 폐쇄하고 막아 두었을까. 지금도 손바닥만큼만 겨우 개방해 놓고 주변은 철망으로 완벽하게 에워쌌다. 개방시간도 10시부터 15시까지로 한정하고 있다. 아쉽고 씁쓸하기도 하지만 그래도 정상을 오를 수 있고 볼 수 있어 다행이다.

빈 집

23층 빈집 창가에 비스듬히 기대어 서서 창밖을 내려다보고 있다. 낙동강 끝자락 바다와 만나는 곳 강 하구가 코앞에 보인다. 고요하기만 하다. 그 앞으로 도심의 낮은 주택들 소위 양옥집들이 한 블록을 차지하고 있다.

신평공단의 높은 굴뚝 세 네 곳에선 하얀 연기가 몽글몽글 뿜어져 나온다. 지하철 신평역엔 여러 칸으로 이어진 전동차가 줄지어 서있다. 한때는 이곳이 지하철 1호선 종점 이었다.

낙동강 끝자락 을숙도 대교는 달리는 차들만 보일뿐 소리는 없다. 강 가운데 넓은 을숙도 공원 숲들은 아직 고요하기만 하다. 강 넘어 명지 국제 신도시 아파트 단지가 원 도심 못지않게 고층 숲을 이루고 있다. 하늘엔 비행기가 착륙을 위해 낮은 고도로 강줄기를 따라 들어온다. 아마도 제주에서 날아왔으리라.

빈집에 홀로 있다. 살던 사람이 조금 전 이사를 떠났기 때문이다. 내 집이지만 남의 집이다. 한 번도 살아보지도 앉아보지도 못했다. 빈집에 지금도 앉지도 못하고 서있다.
내 것이지만 내 것이 아니다. 살던 사람이 떠나기 전에 제자리에 있을 물건들을 챙기고 확인하고 전세금을 송금하고 카드 키를 인수받았다.

살던 사람이 이사 갔으니 지금은 잠시 내 집이다. 내 집에 앉을 자리조차 없는 곳 창가에 서서 잠시 있어 본다. 4년 동안 주인같이 살았던 젊고 예쁜 아가씨가 혼자 살면서 얼마나 정갈했는지 새집과 같다.
흔적도 자국도 찾을 수 없을 만큼 깨끗하다. 처음 이사 올 때 그대로다. 깨끗하게 살아주시어 감사하다는 인사를 세 번이나 전했다.

첫 단추가 잘못 꿰어진 집이다. 신평 낙동강 뷰의 23평 풀옵션 오피스텔이다. 서부산 끝자락 투자 가치는 매우 약한 곳 어쩌다 이곳을 택했는지 의아하다.
선택의 실수였지만 그 또한 내 몫이다. 원 도심에 투자했더라면 상당한 대가로 노후 자금에 도움이 되었을 텐데 늘 아쉽지만 그냥 받아들이기로 했다.
지금도 처분하고 싶지만 성사되지 않는다. 내가 살지 않으면 내 집이 아니니까 그냥 그렇게 둘 뿐이다. 가벼운 선택의 결과로 상당한 경제적 심리적 고통을 감내했지만 그 또한 내가 선택한 일이었다.

전세 대란 시대에 다행스럽게 전세가 연결되었으니 얼마나 감사한 일인가. 한 달 전 까지만 해도 해답이 없었다. 전세금을 다운시키고 부동산 중개소 여러 곳에 소통했지만 소용이 없었다. 지인을 통해 용하다는 스님께 기도를 부탁하기도 했다.

머리가 아팠다. 걱정이고 불안했다. 세입자는 반년 전부터 이사 계획을 알려주었는데 사람의 힘으로 될 수 있는 일이 아니더라. 전세금 반환할 거금을 마련할 길이 없었다.
모두의 염려와 기도 덕분으로 계약만료 22일 전에 세입자 연결이 성사되어 오늘 빈 집을 인수받았으니 정말 다행이다. 무사히 순조롭게 일이 잘 풀려서 그저 신께 감사를 드릴뿐이다.

오늘 하루쯤 이 집의 주인이고 싶다. 빈집은 방 2, 거실 1, 세탁실 등 세팅이 잘 된 오피스텔이다. 23층 낙동강 View가 광안리 바다 View 못지않다.
오늘 하루라도 내가 살았으면 하는 생각이 든다. 이부자리라도 가져와 홀로 하룻밤 자고 싶다. 내 집이지만 내 집이 아닌 집 귀하게 안아 주었다.

1만 원의 행복

벌거벗은 사람들이 모여 있는 곳은 어디 일까요. 대중목욕탕이다. 간혹 금붙이의 목걸이를 걸거나 안경을 착용한 이들도 있지만 육신의 모습은 벌거벗었다.

그 모습도 모양도 각양각색이다. 배가 불룩 나온 사람들이 그렇지 않은 사람보다는 많다. 남자의 물건 또한 천태만상이다. 외적으로는 덜렁덜렁 매달려 있어 보이지만 그 기능과 성능은 주인만이 알고 있을 것이다. 주인이 버린 물건도 주인을 찾지 못한 물건들도 있을 것이다.

남자의 물건이 때로는 사회적 말썽을 일으키기도 하지만 목욕탕의 벌거벗은 남자가 달고 있는 그 물건의 모습은 하나같이 볼품없고 초라하기 짝이 없다.

벌거벗은 모습이 부끄럽지 않고 당당하게 보여 지는 곳 대중목욕탕 참 좋은 곳이다. 코로나 사태 이후로 동네 목욕탕이 많이 자취를 감추었다.

대중목욕탕 출입도 자유롭지 못했던 암울한 시간이 몇 해를 지났다. 이제는 목욕탕 출입은 자유로운 시대를 살고 있어 다행이라는 생각이 든다.
과거 어느 시절에는 주말이면 아이들 데리고 목욕탕 가는 것이 고정된 일과였을 때도 있었는데 그 문화도 이젠 많이 변한듯하다.

어느새 대중목욕탕 요금이 1만 원이 되었다. 물가가 올랐다 하지만 목욕비용 1만 원은 왠지 비싸다는 생각이 들기도 하지만 지금의 시대에 1만 원으로 육신의 행복을 느낄 수 있으니 결코 비싸지는 않다.

나에게 대중목욕탕은 '1만 원의 행복'이다. 평소 세신은 비누에 물 샤워만을 선호한다. 가끔은 목욕 타월도 쓰기도 하지만 꼼꼼히 하지는 않는다. 단단한 비누만 있으면 그만이다. 피부는 건성이지만 보습제는 바르지 않는다.
원래 생긴 모습대로 사는 것이 제일 자연스러움 이라 생각하기 때문이다. 겨울철 피부는 늘 늙은이 모습이다.

육신의 피부에는 '때'라는 찌꺼기가 많이 쌓이나 보다. 대중목욕탕은 때를 미는 곳이다. 아주 철저하게 얼굴부터 발바닥까지 한 껍질을 벗겨낸다.
초록색 이태리타월은 필수 용품이다. 육신에 붙어있는 때를 씻어내는 것이 또 하나의 즐거움이기도 하다. 천천히 부드럽게 벗기고 또 벗긴다.

내가 챙겨야 할 내 육신이다. 정신 못지않게 오래오래 내 생명을 지탱해 줄 육신 잘 돌보고 아끼고 사랑해야 한다. 대중목욕탕은 육신을 케어하는 행복 공간이다.

오늘 처음 방문한 동네 D해수온천에는 온탕, 사우나 실, 냉탕, 폭포수, 안마탕, 반신 욕탕 등 다양한 시설이 있다. 여러 탕 중에 43.5도 온탕이 제일 따끈하고 좋더라. 내 육신이 뜨거운 온도를 좋아하는 것은 늙었다는 것인가.

나만의 시간 1만 원의 행복을 육신에게 선물하고 냉탕에서 뜨거운 심장을 식혀 1만 원의 행복을 마무리했다.

체중계에 올라보니 67.5kg이 찍힌다. 오랜만에 가져보는 육신과의 만남 나와 영원히 함께 할 소중한 내 육신아 고맙고 감사하고 사랑한다.

파피오

어떤 지인께서 아침 편지로 보내주신 글 속에 이런 문구가 있다. '인생은 웃으며 살든 울면서 살든 나의 선택입니다. 짜증내며 살든 즐겁게 살든 나의 몫입니다.'

불평하며 살든 즐겁게 살든 그 또한 나의 선택입니다. 그러나 웃으며 살면 삶이 즐거워집니다. 세상은 나를 따라 움직이기 때문입니다.'

참 좋은 글이다. 웃으며 살아야 하는데 그러기가 쉽지 않더라. 웃을 일 보다 짜증나는 일이 많기 때문이다. 웃음도 짜증도 내 선택 내 몫인데 새 아침에 크게 한번 웃어 본다.

엊그저께가 경칩이었다. 경칩은 겨울잠 자는 벌레나 동물이 깨어나 꿈틀 거린다는 뜻이다. 변함없이 봄은 또 이렇게 땅속에서부터 오고 있나 보다.

봄꽃들도 이제 겨우 제 차례를 따라잡고 있다. 낙동강 변 원동 매화 마을에도 매화 축제라는 현수막과 만국기가 마을을 빛내고 있다. 아직 바람이 차다.
 겨울 패딩을 벗어 버리려다 육신의 저항에 밀려 멈칫하고 있다. 꽃샘추위를 가볍게 여기다 감기 걸리면 나만 손해다. 다소 답답하지만 당분간 출타 길에 두터운 패딩과 목도리를 유지하리라.

 평일 아침에 아내와 함께 가족식당 '거창 맷돌순두부'에서 황제 같은 조찬을 했다. 알루미늄 솥에 담긴 하얀 밥알에 기름기가 반질반질하다. 밥집엔 밥맛이 으뜸이어야 한다. 구수하고 적당히 누려져서 숭늉까지 우려내게 지어졌다.
 솥 밥이 허기진 내장에 식욕을 자극한다. 순두부는 메인이고 오늘은 셀프 코너에 우거지와 시래기 무침, 콩나물. 무생채, 잡채, 야채샐러드로 세팅되어 있다. 평일은 9시 오픈인데 오픈 시간 30분 전에 도착했는데 벌써 손님 2팀이 입장해 있다.
 그래도 아침에 찾아오는 시니어 손님을 박대하지 않고 정해진 시간 이전에 맞이해주는 주인의 넉넉한 인심이 좋아 보인다.

 아내와 함께하는 가족식당 조찬회동은 늘 과식을 하게 된다. 아내는 게걸스럽게 식사하는 나를 보고는 "평소에 굶고 다니시나 아침부터 식성이 대단하오."라고 핀잔인지 칭찬인지 모르게 웃는다.

"있는 것을 그냥 맛있게 먹는 것이 최고의 미덕이지"라고 한마디 거들고는 식사에 집중할 뿐이다. 깨끗하고 편안하면서 맛도 좋으니, 조용한 아침에 조찬 장소로 최고 평점 별 다섯을 주고 싶다.

식당 카운트 선반 위에 작은 화분 하나에 예쁜 꽃 3송이가 피어있다. 난 종류인데 <파피오>라는 이름표를 붙여 놓았다. 아열대 지방에서 자라는 '파피오 페딜럼' 이다.

작은 화분의 꽃이지만 눈과 코에 확 들어온다. 간밤 퇴근길에 부경대 캠퍼스 밝은 달빛 아래에서 만난 하얀 매화와 노란 산수유의 화려함에는 미치지 못하지만 작은 화분 하나가 오늘 아침 내 하루 시작에 큰 환희를 주었다.

로제트 식물의 봄맞이

낮 기온이 20도를 육박하다가 밤에는 0도까지 떨어진다. 계절의 변화에 육신이 제때 적응하지 못한 채로 '덥다. 춥다' 소리를 반복하며 그렇게 봄을 맞이하고 있다.

내 고향 땅 청도 매전면 하평리 '수무동 경로당'에 로제트 식물처럼 겨울을 보내고 계시는 어르신들도 새봄을 맞이하고 계신다.

지난 초겨울에 경로당을 떠나 병원으로 가신 그 어르신께서는 올해 봄소식이 전해질쯤에 한줌의 재로 변해 동네 뒤편 자기의 밭에 봉분도 없는 평지에 묻혔다.

평생 동안 함께 했던 이웃 어르신 또 한분이 북망산천으로 떠나셨다. 경로당에 남아 계시는 어르신들도 그냥 허무하게 바라만 볼 뿐이다.

먼저 떠난 고인에게 지독한 사람이라고 동네 어르신들이 한마디씩 던진다. 때로는 인심도 거칠고 주장이 강해서 사람들과 소란도 많았고 싫어하는 이웃도 있었지만 주변의 상황에 전혀 개의치 않고 자기의 뜻과 사명감으로 살아오신 어르신이다.

자기 부인은 수년전 교통사고로 먼저 떠나셨고 독거로 계셨다. 무릎관절과 허리 불편으로 전동차를 타고 다니면서도 정상인 못지않게 농사일을 거뜬히 해내신 분이다.

죽는 그날까지 농사일을 놓지 못했다고 하신다. 무엇을 위해 저리도 지독하게 농사일에 목숨을 걸었을까.

육신의 병듦과 죽는 날을 미리 알고 계신 듯 했다고 다른 어르신들이 말씀 하신다. 내장이 암세포에 잠식되어 문질러지고 있음을 알고 자식들의 병원 치료 권유를 극구 거절 했단다. 비싼 돈 들여 치료한다고 해도 가망이 없다는 사실을 이미 알고 계셨다.

자신의 죽음을 거부하지 않고 당당하게 받아 들이셨다는 어른이시다. 경로당을 떠나실 때 이런 말씀을 하셨다고 어머니께서 전해 주신다. "10년만 더 살고 싶은데 안 되겠다."라고

떠난 사람은 일치감치 기억 속에서 멀어져 가고 남은 이들은 로제트 식물처럼 긴 겨울을 잘 견디고 봄을 맞이했다.

봄은 오지만 어르신들의 삶도 나의 삶도 큰 변화는 없다. 삶은 늘 연속 될 뿐이다. 겨울을 이겨낸 로제트 식물들은 봄

의 전령사가 되고 어르신들에게 삶의 활력을 준다. 어르신들은 논, 밭에서 그들을 캔다. 냉이와 달래가 제철이다.

경칩이 지난 삼일 째 되는 날 오늘은 유난히 볕이 좋다. 일기예보에 낮의 기온이 20도까지 올라간다고 했다.
간밤에 어머니 집에 와서 하룻밤을 보내고 소고기국을 끓여 아침식사를 했다. 농사일을 조금 해보려고 엄니와 함께 나란히 들에 나간다. 엄니는 달래를 캐러 아들은 감나무에 퇴비 내는 작업을 하려한다.
어머니 밭에 달래가 지천인데 캘 힘이 없다고 하신다. 달래 1kg에 3만원 했는데 그저께부터 2만5천원으로 내렸다고 하신다. 시골 어르신들의 소일 꺼리도 결코 쉽지가 않다. 봄나물 캐는 일도 상당한 노동이기 때문이다.

'농사일은 정말 힘든 노동이다'라는 전제를 깐다. 청도 반시 감나무는 지금쯤 전정 작업과 퇴비, 비료 내는 작업 시기다. 음식물 퇴비로 삭혀놓은 큰 퇴비 무더기를 헐어 SS라는 운반차에 소쿠리를 이용하여 싣고 내려야 한다.
금세 육신의 구멍에서 샘물이 솟아나듯 땀이 흐른다. 땀의 느낌이 좋다. 노동에서의 땀이 운동에서의 땀 보다는 신선하고 짠 내가 덜하다.

한참 같은 동작을 반복 했는데 어느 순간 허리에 뚝! 하는 소리와 오금이 저리고 하체 힘이 쫙 빠진다. 소쿠리를 안은 채 주저 앉고 말았다. 어설픈 농사꾼의 약한 허리가 사고를 쳤다.

준비운동을 하지 않아서 그런가. 원래 허리가 조금 부실하기는 하지만 순식간에 육신에 힘이 빠지고 식은땀이 확 난다. 이를 어쩌나 낭패로다 이제 겨우 시작인데.

먼데 감나무 사이로 희미하게 보이는 어머니께서는 열심히 호미질을 해대고 있을 뿐 아들의 낭패 따위는 전혀 알아차리지 못하고 계신다.

아픈 허리를 겨우 달래서 적재함에 실어 놓는 퇴비를 운반해 13그루의 감나무에 작업을 진행했다. 싣는 일보다는 내리는 일이 허리에 무리는 덜 했다.

더 이상 작업 진행은 불가 했다. 오랜만에 농사일 좀 해 보려고 큰마음 먹었는데 부실한 육신이 원망스럽다. 살다보면 어쩔 수 없는 일도 있더라. 오늘이 그런 날 인가 보다.

TODAY

'오늘이 당신에게 남은 인생의 첫날이다'라는 글귀를 만났다. 오늘이 내 남은 인생의 첫날이고 내 인생의 가장 젊은 날이기도 하다.

볕은 맑고 따뜻하지만 산바람은 아직 차다. 부산의 대표적 진달래꽃 군락이 있는 황령산 정상에 올라가 보았다. 산중에 띄엄띄엄 피어 있는 진달래를 보았기에 황령산 진달래 군락의 화려함을 기대했는데 아직은 일렀다. 듬성듬성 가지 끝에만 피어날 뿐 잔뜩 웅크리고 있는 꽃봉오리들의 군무는 찬바람에 잠시 동작 그만 멈추어 있다.

꽃은 화려하게 피었을 때 보다 필 듯 말 듯 감춰져있는 상태가 더 아름답게 보일 때도 있다. 다음 날에는 부산의 또 다른 진달래 군락지인 철마 소산마을 뒷동산을 가볼까 한다.

오늘도 내 남은 인생의 첫날이다. 아침부터 인터넷 강의를 종일 들었다. 새로운 일을 또 저질렀다.

해보고 싶은 일이기도 했기에 더 늦기 전에 더 늙기 전에 시작했을 뿐이다. <외국어로서의 한국어 학과>공부다. 사이버 평생교육원에 소정의 학비를 납부하고 등록했다. 3월 1일부터 수업이 시작되었다.

16과목 48학점을 무사히 이수하게 되면 한국어 교원 2급 자격증을 취득하게 된다. 과거 사회복지사 자격증도 사이버 학습으로 진행한 경험이 있어 생소하지는 않지만 제반 학습이 만만치 않다.

외국인에게 한국어를 가르치는 교원자격을 취득하는 것이 목적이다. 한국인도 어렵다는 한국어 우리말과 우리글이지만 어려운 부분이 많다.

시작이 절반이라 했으니 이미 절반은 이룬 셈이다. 학사 일정이 3학기제로 되어 있어 특별한 일 없다면 내년 가을쯤에 종료되고 자격증도 손에 쥐어질 것으로 기대한다.

꾀 내지 않고 묵묵히 주어진 시간을 투자하고자 한다. 훗날 그날에도 있을 내 인생의 첫날에 외국인들과 소통할 수 있을 그날을 상상해 보면 그저 즐거워진다.

잠시 짬에 냉동실에 지난가을에 얼려둔 얼음이 된 반시감 한 개를 꺼내어 녹기를 기다리며 김훈 작가의 단편 소설 '저만치 혼자서'에서 이런 문구를 읽고 있다.

'혼자 사는 여자의 집에 남자가 있다는 것을 알리기 위해 떠난 아들의 신던 구두를 현관에 놓았다. 싱크대 배관 수리

공이 현관에 놓인 구두를 유심히 바라보던 눈길을 기억한다.' 어찌 섬뜩한 느낌이다. 혼자 사는 여자 집에 남자 구두 한 켤레 현관에 놓아두어도 괜찮을 것 같다는 생각이 든다.

겨울을 냉동실에서 보낸 반시감 껍질을 살짝 벗겨 여러 조각으로 잘라 접시에 담아 한 조각씩 혓바닥에 올린다. 살살 녹는 느낌과 달콤한 맛과 향기가 꿀과 같다. 늘 쳐다보기만 했을 뿐 맛을 보기는 처음이다.

올해도 변함없이 반시감은 열릴 것이고 농부는 또 작업 사이클에 맞게 농부의 임무를 다하게 될 것이다.
매일 맞이하는 오늘은 선물이고 축복이다. 소중하고 감사한 마음을 가진다.

내 자리

새 아침 출근길에 내 동네 메트로아파트 정원에 키 큰 메타세쿼이아 가지 사이로 직박구리 소리가 요란하다. 동고비는 꽃이 떨어진 목련 새잎 가지에 앉아 작은 날갯짓을 한다.
어제는 봄비가 거칠게 왔다. 아침 찬바람은 완연한 봄과는 사뭇 거리가 멀지만 옷매무시를 여밀 만큼 차지는 않다.
매화가 떠난 자리에 왕벚꽃이 배턴터치를 했다. 겨울을 지나온 나무들도 연녹색의 생명줄을 이제 막 비치고 있다.
아침 짬에 잠시 보이는 것들이 또 하나의 소소한 일상이 되었다.

아침 오피스로 가는 길에 커피 카페의 로부스타 향에 유혹되어 뜨거운 아메리카노 커피 1,200원짜리 한 잔을 샀다.
잘 산다는 동네 W스퀘어 69층 빌딩 1층 상가의 로비 라운지에 앉아 느긋하게 커피를 마시고 있다. 아침시간이라 상가는 고요하고 여유롭다. 주말에 버스킹 공연이 열리는 곳이기도 하다.

지나가다 잠시 머물러 홀로 커피 한잔할 수 있는 여유가 참 좋다. 시간에 쫓길 이유도 없지만 그래도 늘 삶의 밸런스와 루틴을 잃지 않으려고 중심을 잡고 산다.

어제 어떤 지인께서 나에게 이런 질문을 했다. "은퇴 후 시작한 일은 성과가 좀 있나요"라고. 성과라 하면 돈벌이인데 '돈벌이는 좀 되느냐'라는 뜻이다.

돈 중요하지만 벌이는 어렵다. 은퇴 후 유사한 계통의 일을 한다면 결국 후배들에게 나를 팔아야 하고 아쉬운 소리를 내내 해야 하는데. 그러고 싶지 않다.

아직은 내 자신에 대한 최소한의 존중과 명예는 지키며 살고 싶다. 돈은 반드시 있어야 하고 매우 중요한 삶의 도구다. 그렇지만 돈은 쫓는다고 오지 않을 것이고 마음의 갈증만 남을 뿐이다. 조금 덜 풍요롭게 조금 덜 쓰면 그만이다.

지인에게 이렇게 답했다. "내게 주어진 삶의 자리에서 돈도 중요하지만 어떤 마음으로 사는가 하는 것이 더 중요하지 않을까요."

구상 시인의 『꽃자리』 라는 시를 한 소절 읽어 본다. 「반갑고 고맙고 기쁘다/ 앉은 자리가 꽃자리니라/ 네가 시방 가시방석처럼 여기는/ 너의 앉은 그 자리가/ 바로 꽃자리니라/ (중략) 나는 내가 지은 감옥 속에 갇혀 있다/ 너는 네가 만든 쇠사슬에 매여 있다/ 그는 그가 엮은 동아줄에 엮여 있다

/ 우리는 저마다 스스로의/ 굴레에서 벗어났을 때/ 그 제사 세상이 바로 보이고/ 삶의 보람과 기쁨을 맛본다/ 앉은 자리가 꽃자리니라/ 네가 시방 가시방석처럼 여기는/ 너의 앉은 그 자리가/ 바로 꽃자리니라」

사람에게는 누구나 자리가 있다. 이제 나의 자리가 되어버린 오피스는 진정한 내 자리다. 내 공간, 내 자리가 있으니 얼마나 다행한 일인가.

현직을 '꽃자리'라고 하는데 현직에 있는 자들은 바늘방석 자리라고 너스레를 떨기도 한다. 우리가 늘 사는 집에도 자리는 존재한다.
엄마 아빠 방, 아들 방, 딸 방이라고 하는 자리를 정해둔다. 주방 식탁에도 알게 모르게 앉는 자리가 정해져 있다. 아무 곳이나 앉지 않는다.

자기 자리를 잃어버린 사람들도 많더라. 산속이 자기 자리라고 날마다 산으로 가는 사람들도 있고 바닷가가 자기 자리라고 날마다 낚싯대를 메고 강태공 흉내를 내는 사람도 있더라. 요즘 같은 봄날에는 봄꽃자리가 내 자리가 되었으면 좋겠다는 생각을 해본다.

美國 항공모함 '니미츠'

3월 막바지 봄기운이 가득 찬 오후 시간에 '신선대'에 올라 있다. 벚꽃이 화려하게 하늘을 덥고 바다에서 들어오는 봄기운은 바람과 함께 거세다.
'신선대'는 신선이 탄 백마의 발자취가 있다고 해서 '신선대'라고 불렸단다. 용호동 끝자락 바다를 내려다볼 수 있는 작은 동산이다. 오륙도 바다, 해군 3함대기지, 영도, 태종대, 북 항, 부산항 일원이 한눈에 들어오는 참으로 전망이 좋은 곳이다.

고요하기만 하던 부산 앞 바다가 소란스럽다. 부산 앞바다에 미국 항공모함이 들어왔다. 항공모함을 구경하려는 사람들로 붐빈다.
관광버스 관람은 사전에 허가 신청을 받아 이루어 지나보다. 대형 버스가 줄지어 해군 기지에 들어갔다 나오고 있다.

한미 해군 연합훈련 차 부산에 입항한 미국 항공모함 '니미츠'가 부산 용호동 제3함대 작전기지에 정박해 있다.

신선대 산마루에서 그냥 내려다보고 있으니 혼이 빠질 만큼 엄청난 광경이 눈앞에 있다. 말로만 듣고 그림과 TV 화면으로 만 보던 거대한 함선을 코앞에서 내려다보는 감격적인 순간을 접하고 있다.

핵추진 항공모함 '니미츠'는 1975년 취역해 지금까지 임무를 수행하고 있으며 길이 332m, 폭 76m로 축구장 3배 넓이, 전체 높이는 63m로 23층 건물 수준이란다.
승조원 5,000여 명에 전투기만 70여 대가 탑재되어 있는데 40여 대는 갑판 위에 나머지는 내부 격납고에 탑재한다.
헬기와 각종 군사장비 들로 완전히 무장된 바다의 킹이다. 전투기는 최대 30초간 1대씩 출격이 가능한데 함재기를 쏘아 올리는 사출장치가 4개 장착되어 있어 가능하단다.
70대 전투기를 모두 출격 시키는데 1시간 이내 가능하다는 말이다. 북한의 핵에 대비한 한 미 공조를 위한 연합훈련을 위해 부산에 들어와 있는 '니미츠' 한마디로 감동이다.

항공모함의 대단한 광경도 봄날의 또 다른 볼거리이지만 이 현장이 우리의 현재 국가 안보의 현실이라는 점에서 긍정적으로만 지켜볼 일은 아닌듯하여 씁쓸하다.
'니미츠'는 훈련 기간 중 부산에 머무르면서 항공모함 내부를 일반인에게 공개 관람할 수 있는 행사를 진행한다.
그냥 구경하고 사진 찍고 즐길 수도 있지만 이런 기회에 나라 안보 상황도 잠시 들여다 볼 수 있었으면 좋겠다.

슬픈 식목일

봄바람은 억세게 왔고 봄비는 거칠게 왔다. 식목일에 많은 비가 내렸다. 봄소식을 전해주는 봄꽃이 채 피기도 전에 온 나라가 불바다가 된듯하다.

식목일을 비웃기라도 하듯이 나라 전체가 산불 재앙을 겪고 있다. 최소한 어젯밤까지는 그랬다. 인간의 힘으로 다스려지지 않으니 재앙이고 재난이다.

수많은 사람들이 피하고 제압한다고 사투를 벌였다. 산불 재앙이 식목일은 비껴가라는 신의 계시가 있었는지 식목일에 많은 비가 내려 전국의 산불을 단번에 멈추게 했다.

나에게도 아주 오래전 어느 날 있었던 그때의 기억들이 새록새록 솟아난다. 영도 봉래산에도 산불이 잦았다.

산불 현장에서 불바람 맞으며 긴급하게 바위틈에 은신했는데 바위 틈새 숨겨진 불씨에 옷에 불이 붙었다. 산불 진화요원도 나무인 줄 알고 불이 그냥 덤벼들었다. 하마터면 큰일 날 뻔했던 젊은 시절이었다. 옷에 불이 붙은 것도 모르고 산불 현장을 지키던 시절이 있었다. 불에 탄 자리는 이듬해 식목일 기념 나무 심는 장소가 되기도 했다.

식목일을 앞두고 전국에 40여건 대형 산불이 발생되어 끝도 없이 산림을 집어삼켰다.

식목일이 무슨 소용인가. '아 슬프다' 식목일에 슬픔을 함께 하는 봄비가 내려 나무 심는 것보다 불타는 산을 지켜 주어 얼마나 다행한 일인가.

올 식목일은 슬픈 식목일이기도 하지만 그래도 자연을 지켜준 우주의 神에게 감사를 드리고 싶다.

어제까지 내리던 하얀 꽃눈이 봄비에 젖어 바닥에 꽃잎만 자욱하게 흔적을 남겼다. 왕벚꽃이 떨어진 옆에는 겹벚꽃의 큰 꽃송이가 자리를 대신하고 있다.

도심의 뜰에도 영산홍과 철쭉의 꽃무늬가 이어지고 생명의 새싹들이 속도를 낼 것이다.

꽃봉오리는 황태자 왕관을, 잎은 기사의 검을, 뿌리는 상인의 금괴를 상징한다는 봄꽃의 제왕 튤립의 분홍색 꽃봉오리에도 봄비가 가득하다. 올해의 이른 봄도 식목일 봄비와 함께 익어갈 것이다.

이른 봄을 맞이해서 봄의 향기를 잠시 즐기기도 했지만 산불로 인한 화마의 재앙으로부터 벗어나기 위해 아름다운 올해의 봄도 조금은 빨리 지나가 버렸으면 좋겠다는 생각을 해본다.
 식목일에 전국에 하루 종일 많은 비가 내려 나무 심기는 어려웠지만 산을 지켜주는 방패가 되어 주었으니 다행한 일이다.

 식목일에 내린 봄비가 새 생명의 탄생과 봄을 견인하는 에너지가 되겠지만 나는 올해 식목일은 슬픈 식목일로 기억하고 싶다.

순천만 정원

하루해가 벌교 제석산을 넘어갈 때쯤 순천만 정원의 메인 출입 게이트인 동문으로 들어왔다. 천지가 꽃향기로 가득하다.

엊그제 그저께 4월 1일에 개장한 「2023 순천만 국제정원 박람회」 현장에 우뚝 서 있다. 주말이 끝나가는 시간이다. 주말에 얼마나 많은 관람객이 다녀갔는지 사람의 열기와 여운이 아직 남아 있는 듯하다. 주간 관람객이 거의 빠져나간 자리에도 꽃향기가 수변공원의 잔잔한 호수와 푸른 켄터키블루우 그래스 잔디 위에 가득 차 있다.

호숫가 메타세콰이어 길 사이로 튤립의 행렬이 방문객을 유혹한다. 정원의 입장 첫 만남으로 대규모 꽃 단지를 연출해 방문객의 눈과 코를 접수해 버린다.

순천 국가 정원은 2014년에 개장된 대한민국 제1호 국가정원이다. 면적은 34만 평 규모다. 우리 지역에 있는 해운대 수목원(19만 평), 시민공원(14만 평)보다는 큰 면적이지만 순천정원은 하천습지와 순천만에 접해있어 더욱 넓게 느껴진다.

정원은 수목원과 공원과는 차별이 있다. 공원은 이용자의 동적인 면과 적극적 기능이 있다면, 정원은 정적이고 소극적 기능이 크다. 제2호 국가 정원은 울산의「태화강 국가 정원」이다. 부산도 삼락생태공원 148만 평에 제3호 국가 정원을 계획하고 있다.

내가 순천정원을 처음 방문한 때는 2011년 정원 조성 초기 단계이다. 그 후 2014년 개장까지 아마도 매년 수시로 들락거리면서 지켜보았다.

성경 욥기(8:7)에 “네 시작은 미약하였으나 네 나중은 심히 창대하리라."는 말씀을 따른듯하다. 현재의 심히 창대함을 갖추기 위해 인간의 끝없는 노력과 돈과 시간이 투자 되었다는 점에서 고개가 숙여진다.

나에게 순천정원은 특이한 인연이 있다. 한때 공직을 함께 했던 지인의 영혼도 순천정원에 묻혀 있으니 순천정원에 오면 착잡한 마음이 든다.

고인은 전라남도청에 근무하면서 2011년 7월부터 2014년 정원 개장 전까지 순천만 국제정원박람회 조성 ‘정원 부장직’을 수행하다 과중한 업무와 스트레스로 인한 백혈병으로 세상을 떠났다.

고인의 희생과 열정을 되새기는 추모를 위해 정원 서문 입구에 평소 고인이 좋아했던 녹나무를 추모 목으로 선정해 추모비를 새워두었다. 먼저 떠난 고인에게 잠시나마 추모의 마음을 전한다.

벌교 제석산에 걸려있던 석양이 떠난 뒤 금세 어둠이 몰려온다. 정원 곳곳에도 조명이 들어오기 시작한다. 특별한 조명의 스펙터클한 판타지 공연은 없지만 숲과 꽃이 어우러진 은은한 불빛과 조명이 또 다른 볼거리로 다가온다.
해 질 녘에 들어와 주간 관람도 야간 관람도 함께 즐길 수 있으니 특별히 초대를 받은 기분이다. 야심성유휘(夜深星逾輝 밤이 깊을수록 별은 더욱 빛난다)다. 봄밤이 깊을수록 하늘의 별들과 정원의 조명도 밝기와 아름다움을 더해준다.

다음날 새 아침 순천을 떠나면서 정원의 아쉬움을 잠시 더 함께하려고 뜨거운 아메리카노를 손에 들고 다시 정원을 찾았다. 정원박람회 입장료는 일반 15,000원이지만 어쩌다 무료입장권을 가지고 있으니 가능한 일이다. 숲 교육 전문가인 '숲 해설가' 자격으로 국가로부터 '숲 사랑 지도원증'을 발급 받았기에 작은 혜택을 받고 있다.

오전 9시 개장시간 전부터 관광버스의 행렬이 줄지어 들어온다. 동문 게이트에는 특별한 큰 간판이 있다.

단체 손님과 무료입장 손님은 맨 우측 게이트를 이용하라는 입간판이다. 미리 예약된 단체 관람객과 무료 입장객이 많다는 뜻으로 보인다.

잠시 동안에 동문 게이트는 혼잡을 이룬다. 관광버스는 대부분 어르신들로 가득하다. 평일 아침에 정원박람회를 관람하는 편한 백성들이 그리 많지는 않을 터이다.

단체 관람객 대부분이 경로 우대 무료입장 게이트를 이용하신다. 걷기가 불편해 지팡이를 든 어르신이 의외로 많다.

어르신들의 봄나들이에 입장료도 없는 순천정원은 필수 코스인가 보다. 불편한 관람객을 위해 땅에는 관람 차, 호수는 관람 배, 하늘에는 스카이 큐브가 운행되고 있으니 걸음이 불편한 어르신들도 충분히 즐길 수 있다. 걸음 대신 타는 비용이 조금 들겠지만 이용에는 문제가 없어 보인다.

코로나로 인해 닫혀있던 사람들의 마음도 순천정원의 활짝 핀 꽃처럼 활기와 에너지가 충만 하기를 바란다. 여름밤에도 가을 낮에도 또 다시 함께 할 수 있기를 기대한다.

佛日庵

오후의 봄볕이 등허리쯤 지나갈 시간에 가파른 오르막을 지나 이마에 땀을 훔치며 대나무 숲 그늘 길로 접어들었다.
4월 10일이지만 이곳은 아직 벚꽃이 산중 잡목 사이를 환하게 비추고 붉나무의 붉은 잎눈이 이제 막 새순에서 작은 잎을 뾰족이 내밀고 있다.
산철쭉의 하얀 꽃이 가지 끝에 매달려 바람에 하늘거리고 수꽃이 떨어진 굴참나무 가지에는 솜 잎들이 가지런히 솟아나 있다.

송광사의 웅장하고 위엄 넘치는 경내를 한 바퀴 돌아 불일암 으로 올라가는 무소유길 길목에 잠시 서 있다. 길목에 나무판으로 만든 '무소유 길'이라는 시판이 있다.
<무소유란 아무것도 갖지 않는 것이 아니라. 불필요한 것을 갖지 않는다는 뜻이다. 우리가 선택한 맑은 가난은 넘치는 부 보다 훨씬 값지고 고귀한 것이다>
무소유를 실천하신 법정 스님이 오르내리던 산길이 지금은

무소유 길로 이름 지어졌나 보다.

법정 스님의 정신과 발자취를 잠시 접해보고자 불일암 으로 오르고 있다. 마음으로만 담아두었던 불일암을 만나러 가는 발길과 마음은 가볍고 설렌다.

법정 스님 말씀의 책을 여러 권 읽었지만 「텅 빈 충만」 을 평소에도 늘 들여다보고 있다. 1989년 스님 56세 때 쓴 책이다.

'빈방에 홀로 앉아 있으면 모든 것이 충만하다. 텅 비어있기 때문에 가득 찼을 때보다 오히려 더 충만하다.'

오래된 고서적을 2020년 인터넷 중고 서점에서 18,000원에 구입했다. 출판 당시 책값이 3,500원 이었는데 책의 가치가 많이 상승했다. 법정 스님 열반 당시 스님의 유언에 따라 스님의 책들은 모두 절판되었으니 지금은 귀한 책이 되었다.

내 생애 처음으로 접하는 '불일암' 대나무로 만든 사립문 안으로 들어간다. 작은 텃밭이 있고 그 위에 일반 암자의 형태와는 거리가 먼 정갈한 모습의 작은 기와집이 있다.

서까래 아래에 佛日庵이라는 작은 글귀가 부착되어 불일암이라는 실체를 알려줄 뿐 불상의 흔적은 보이지 않는다.

건물의 크기와 모습이 다산 정약용 선생이 머물던 다산초당과 흡사하다. 아마도 법정 스님께서도 다산 선생의 정신을 많이 받지 않았을까 하는 생각이 든다.
불일암은 스님께서 1975년에 지어 1992년 까지 17년간 칩거했던 곳이다.

축담 끝에 가만히 놓여있는 오래된 굴참나무 의자는 불일암 법정 스님 의자로 유명하고 이곳의 랜드 마크가 된지 오래다. 의자는 오늘도 주인을 기다리고 있는 듯 보인다. 축담 가운데에 있는 디딤석 위에는 흰 고무신 한 켤레가 놓여 있다. 스님께서 안에 계신다는 의미를 상징하는 느낌이다. 내부를 들여다볼 수 없는 것이 큰 아쉬움이다.

스님의 책 중에 이런 일화가 있다. 과거 어느 여름날에 법정 스님이 허드레옷을 입고 텃밭에서 밭일을 하고 있는데 중년의 여자 신도께서 무거운 수박을 들고 땀을 뻘뻘 흘리며 불일암에 올라오셔서 밭에서 일하는 스님을 보고는 "저기요, 법정 스님은 어디에 계십니까."라고 묻더란다.
스님의 대답이 "법정 스님은 아침나절에 출타를 하셨는데요."하고 답했더니, 그 보살님께서 한숨을 쉬면서 "어쩌까나 스님을 꼭 만나야 하는데" 하면서 가슴을 치더란다.
스님은 속으로 이미 나를 보고 있는데 왜 한숨을 저리도~ 보살님이 또 묻는다. "스님은 언제 돌아오십니까." 스님 왈 " 아마도 어두워야 오지 않을까요." "수박은 어쩔까요." "우물가에 두시면 나중에 스님 오시면 말씀을 전하지요"라고 했다는 스님의 말씀이 기억난다.
그때는 워낙 많은 사람들이 찾아와서 가끔은 피했다고 하셨다.

고요한 불일암 실내에 인기척이 난다. 안에 계시던 스님 한 분이 막 출타를 하는 모습이 보이더니 나를 부른다. 짧은 말을 건넨다.
"불자, 안 불자" 금세 알아차렸다. "당신은 불자입니까. 아닙니까."로 들렸다. 바로 합장하고 고개를 한참 숙이고 "불자입니다."라고 했더니 검은 손목 염주를 내 손에 쥐어주신다.
감사, 감격, 감동의 순간이었다. 생각지도 못한 스님과 조우한 눈빛과 마음을 마주 보고 염주를 선물 받을 줄이야. 그야말로 행운이고 감동이었다.
어찌 이런 일이 처음 와본 불일암에서 마음에 간직했던 법정 스님을 만나는 감격의 순간을 맛보았다. 작은 키에 단아한 모습의 스님, 자세히 바라볼 시간도 없이 내 앞을 지나가셨다.

지금 생각해 보니 스님과도 인연인데 불일암 내부에 법정 스님이 계시던 빈 방을 한번 보여 달라고 부탁을 드렸으면 보여주지 않았을까 하는 여운이 남는다.

해질녘 불일암엔 인적도 없고 조용하니 더욱 좋다. 굴참나무 탁자에 앉아 법정 스님의 흔적과 모습을 상상하며 암자와 텃밭과 주변을 한참 살펴보았다.

불일암을 만난 들뜬 마음을 진정하고 고요함 속에 잠시 빠져들었다. 축담에 법정 스님의 나무 의자 위에 있는 방명록에 한 구절을 남겼다.

"빈 방에 홀로 앉아, 무소유를 실천하신 법정 스님의 마음을 잠시나 느껴보기 위해 멀리 부산에서 찾아왔습니다. 이 의자를 보니 스님의 정신이 느껴집니다. 마음의 평정심이 흔들릴 때마다 스님의 말씀을 읽고 또 읽고 있습니다. 2023. 4. 10 편편 세상 이형"이라고 썼다.

그리고 바가지 시주함에 마음의 시주를 했다. 시주함도 없고 불상도 하나 보이지 않는 것이 무소유라는 불일암의 매력이 아닐까 하는 생각이 든다. 불일암의 여운이 흐트러진 내 영혼을 보듬어 줄 수 있기를 빌어본다.

육신 돌봄

흐릿한 이른 아침 S의료원 건강검진센터에 도착했다. 탈의실에서 분홍색 체크무늬의 검사 복장으로 갈아입고 초조한 마음으로 대기실 복도 의자에 앉아 있다.
"이승국님 이쪽으로 오세요."라는 직원의 멘트가 검사의 시작을 알려준다. 은퇴 후 자연인으로서 건강검진을 4년간 하지 않았으니 혹시나 탈난 곳은 없을까 하는 우려가 크다.

일상에서 정신적인 면은 마음의 평정심이라는 처방약으로 힘들지 않게 견디고 있는데, 육신의 상태는 늙어감이란 당연한 현상도 있지만 도무지 그 속은 알 수 없다.
새해에 코로나 바이러스에 의한 육신의 심한 충격으로 체중 5kg이 줄었지만 4개월이 지난 지금도 복귀가 되지 않고 있다. 검사 첫 단계 체중계에 올라서니 67.2kg이 찍힌다.

아마도 내장의 건더기를 완전히 씻어낸 상태이니 현재가 최적화된 육신의 무게가 아닐까 생각된다.

간밤에 좋아하는 만찬도 SOJU도 참았고 비타민C 맛이 난다는 느끼하기 짝이 없는 물약 1,000cc와 물 500cc를 섭취했고, 아침에도 똑같은 량의 물약과 물을 섭취했다.
여러 차례 배설 행위를 거쳐 마지막으로 항문을 통해서 뿜어진 연 노란색의 맑고 투명한 생명수를 보았다.
몸속 긴 내장의 관을 흘러 골고루 씻어 낸 육수 같은 물이다. 청명하고 정갈한 몸의 샘물처럼 내장이 기능도 생태도 부드럽고 깨끗하기를 바랄 뿐이다.

엉덩이가 파진 바지를 갈아입고 병원 침대에 잠시 누웠는데 수면 마취 상태가 되었나 보다. 내시경 기계의 긴 호스의 한쪽은 항문으로 다른 한쪽은 목구멍을 통해 육신에 삽입되어. 사진 찍고, 자르고, 빨아내고 등 기계의 성능을 유감없이 발휘했을 것이다.
아마도 그들의 방식대로 의식이 없는 내 육신을 그렇게 구석구석을 살폈을 것이다.

한참 웅크려 잠든 상태에서 항문을 통해 빠져나오는 가스 소리에 큰 신음 소리를 내며 정신을 차려본다. 가스의 분출은 쉬이 멈추지 않고 이어진다.
정신을 챙겨 육신을 일으키니 비틀거린다. 장 내시경의 끝으로 일련의 검사가 마무리된 것을 알았다. 몽롱한 육신을 달래어 환복을 하고 안내실 창구 상담 직원과 마주했다.

자세한 결과를 지금은 알 수 없지만 대장에 용종을 하나 제거했다고 검사 비용 8만 3천 원을 추가 요구했다.

미루어 왔던 육신의 검진을 오늘에서야 비로소 하게 되어 육신에게 미안함은 있지만, 다행히 오늘 봄날에 육신의 돌봄을 하게 되어 감사한 마음이다. 평소 마음과 육신의 뜻대로 특별한 고장이 없기를 바랄 뿐이다.

나이 들어 삶의 최고 우선순위는 뭐니 뭐니 해도 건강을 지키고 가꾸는 일인데 육신아 미안 타. 검사를 마치고 따뜻하고 찰기 있는 죽 한 그릇을 삼키며 간밤부터 아침까지 내장의 찌꺼기를 씻어 낸다고 고생한 육신에게 잠시나마 위안을 주었다.

자기 자신을 행복으로 인도 할 가장 믿음직한 안내자는 자기의 몸 이라고 했다. 나의 행복을 인도 할 믿음직한 안내자는 나의 육신이다. 육신의 소리에 늘 귀 기울이고 돌봄에 정성을 다해야 한다.

나는 구순(九旬)의 어머니다

2023년 4월 26일 오늘이 내 인생에 가장 젊은 날이다. 내가 세상에 첫 선을 보인 지 구순이 되는 날이기도 하다.
나는 1934년 일본에서 태어났다. 유년 시절은 대동아 전쟁을 겪었고 해방 이후인 12세 때 한국으로 귀국했다.
어머니는 그 시절 일본 내 공사현장에서 식당을 운영하셨다. 일명 '함바' 식당이다. 일제강점기 전쟁 통에 조선인이 일본에서 '함바' 식당을 운영했다는 것은 대단한 일이다.
소위 일본 땅에서 식당을 운영해 돈을 벌었다. 해방 후 가족 모두 귀국해 아버지 고향인 청도 매전 북지리에 정착하여 토지도 장만하고 집도 짓고 새 삶을 시작했다.

최소한 결혼하기 전까지는 부유한 시골 가정에서 어려움 모르고 살았다. 그때 우리 집에는 농사일하는 머슴이 둘 있었다.
21세 나이에 인근 지역 고성 이 씨 집안으로 시집을 왔다. 그때 산림이라고는 논 1마지기에 송아지 1마리가 전부였다.

온 백성이 어렵던 그 시절 죽을힘을 다해 억척같이 살았다. 아들 넷을 낳고 산림도 일구었다. 나이 회갑 때 영감은 하늘나라로 먼저 떠났고 29년의 긴 세월을 주인으로 살면서 자식도 집안도 잘 간수했다.

허리 수술 3회, 뇌수술 1회, 인공관절 수술 1회 총 5회의 큰 수술을 감당했다. 삶은 그저 견디고 이겨내는 것이더라. 지금은 허리가 굽어서 보행 구루마 없이는 걷기도 불편하고 몸뚱어리는 성한 데가 없다. 젊은 시절 육신의 노동과 삶의 결과물이 고스란히 육신에 남아 있다.

자식들이 구순 잔치를 해주었다. 지난 토요일 저녁시간에 부산 광안리 바다가 훤히 내려다보이는 한정식 식당에서 모두가 함께했다.

본가와 친정의 조카, 질녀, 생질 등 내외 대부분이 참석하여 구순을 축하해 주었다. 전체 참석 인원이 48명이라고 했다.

우리 집안 대대로 '구순연'은 내가 처음이다. 남동생 셋도 일찌감치 먼저 떠났고 위로 두 언니 중, 작은 언니는 93세로 아직 살아있지만 요양원에 있어 사람 구실을 제대로 할 수 없으니 안타까울 따름이다.

구순연 2부 모임은 셋째 아들 집에서 했다. 본가 식구와 친정 식구들 20여 명이 함께 모여 시끌벅적 밤늦은 시간까지

술과 담소를 나누었다. 앞으로 이런 시간이 또 있을지는 알 수 없지만 함께 할 수 있는 식구들이 있으니 얼마나 좋은가.

다음날 오륙도 바다를 잠시 돌아본다고 나를 휠체어에 태워 끌고 다닌다. 걸음도 못 걷는 늙은이가 어딜 다닌다는 것은 여간 번거로운 일이 아니지만 싫은 내색은 하지 않고 자식들과 함께했다.

오륙도 바다는 바람이 거세고 파도 소리와 물결은 거칠게 섬의 바위를 후려친다. 아직도 이렇게 아들들 덕분에 푸르고 넓은 바다를 볼 수 있으니 좋기는 하지만 늙은이가 함께 하기는 힘겹다.

회덮밥 점심 식사와 카페 디저트를 끝으로 모든 일정을 정리했다. 하룻밤 더 있어도 되는데 모두들 각자의 생활이 있으니 아쉬움을 뒤로하고 모두 떠났다.

내가 돌아갈 곳은 나의 집이다. 아들의 집은 며느리 집인지도 모른다. 내가 머무를 곳은 아니다. 자식 피해 주지 않고 조용히 떠나야 하는 것이 남은 인생 최고의 숙제다.

요양원에 들어가 죽지도 못하고 긴 세월을 생명 부지하는 일은 결코 없기를 바랄 뿐이다.

대구에 사는 둘째 아들 내외와 함께 청도로 출발했다. 부산에 올 때도 대구 아들 내외랑 같이 왔으니 갈 때도 같이 간다. 오래 살아도 아프지 않고 자식들 불편하지 않게 해야 하는데 그것은 알 수 없는 노릇이다.
언젠가는 아파 스러질 것이고 또 가야 할 곳에 기필코 가야 하는 것이 인생 아니던가. 구순연 준비하고 치른다고 애쓴 자식 며느리들에게 그저 고마운 마음을 전한다.

시골 동네는 나동떠기 구순 잔치하러 부산에 갔다는 소문은 크게 나지 않았지만 구순 사실을 동네 사람들이 알고 있으니 그냥 넘어갈 수는 없다.
구순을 했으니 한턱을 내야 한다. 동네 어르신들 식사를 위해 아들들의 수고를 들어주고자 마을 경로당 회장한테 맡겨 놓기로 했다. 식사 금일봉을 전달하면 경로당 회장과 총무가 알아서 할 것이다.
둘째 아들이 금일봉 봉투와 기념 타월을 전달하는 수고를 마무리하고 저녁녘에 자기 집으로 돌아갔다. 또 모든 것이 제자리로 돌아왔다. 혼자서 지내는 늙은이의 집에는 늙은이 혼자 있는 것이 당연한 일이지 않던가. 피곤한 육신을 그냥 뉘었다.

원래 생일이 4월 26일 수요일인데 경로당 생일 밥도 수요일로 하면 좋겠다는 전갈이 전달되지 않았는지 경로당 회장과 총무가 서둘러 일정을 정했나 보다. 25일 화요일 점심으로 날을 잡아 회장님이 동네 앰프 방송과 가가호호 전화를 돌렸다. 작은 시골동네 식사 인원은 19명이 참석했다.

메뉴는 돼지고기 주물럭에 된장찌개 식사가 주문되었나 보다. 사람들이 고기를 흡입하듯 먹어 치운다. 비용은 넉넉하니 먹을 수 있을 만큼 실컷 드시라고 회장님께서 몇 번을 알렸다.

총무님이 작은 케이크도 준비해 식사 전 촛불도 켜고 축하 노래도 함께 불러 주었다. 평생을 함께 해온 이웃들이 있으니 얼마나 고마운 일인가.

우리 동네에서 내가 나이가 제일 많지만 얼굴 모습은 중간쯤 되어 보인다고 하니 기분은 좋다. 아들이 한 놈이라도 왔으면 했는데 너무 급히 일정을 잡았으니 자식을 나무랄 일은 아니다.

내 구순 생일에 식사를 한턱 푸짐하게 낼 수 있어 좋다. 오늘 비 예보가 있더니 금세 봄비가 내린다.

식사를 마치고 동네 경로당에 돌아와 함께 담소를 나누고 있는데 충청도에 출장 갔다는 셋째 아들 국이가 불쑥 들어온다.

어머니 생신 밥

저녁 내내 내리던 봄비는 밤새 그쳤나 보다. 어제 늦은 오후에 시골 어머니 집에 왔다. 피곤한 육신은 이른 저녁에 쓰러져 잤나 보다.

새벽녘에 정신을 챙겨보니 엄니의 거친 숨소리가 들린다. 오랜만에 母子는 함께 잠을 잤다. 충청도 일정을 조금 더 하고 싶은 욕심을 버리고 어머니 집에 일찍 오길 잘했다는 생각이 든다.

내일이 어머니 원래 생신이시니 생신 밥이라도 한 끼 챙겨드리고 싶었다. 우리 집 바쁜 형제 며느리들은 시간이 여의치 않으니 기대하기가 어렵다.

지난 주말에 구순연을 했으니 별도 생일 밥상은 차릴 필요가 없다고 할 수도 있다. 이러나저러나 개의치 않는다. 내가 할 수 없는 일을 남에게 말하거나 요구하면 안 된다는 것이 평소 지론이다.

어제 경로당에 담소 나누는 어르신들께 가볍게 인사를 드렸더니 어르신들이 인사를 곱으로 해 주신다. “엄마 구순 한다고 애썼을 텐데, 동네에 큰돈을 주어 너무 맛있게 잘 먹었다.”고 거듭 칭찬을 늘어놓으신다.

“식사 자리에 자식이 함께해야 하는데 참석하지 못해 죄송합니다.”라고 인사를 전했다. 시골 동네에 어머니 체면과 위상을 세워 줄 수 있어 그래도 다행이고 감사한 마음이 들었다. 이제는 엄니께서 동네에서 제일 나이 많은 어르신이 되었으니 더욱 그랬다.

당신의 생일에 찾아온 아들에게 자기의 생일 밥을 해줄 요량으로 이른 아침부터 식사 준비를 서둘러 하신다.

어제 오는 길에 청도 하나로 마트에서 국거리 소고기와 먹을거리를 사 왔으니 조리만 하면 된다. 엄니께서 찹쌀과 콩을 씻어 물에 담가 두었고 마른 미역도 이미 물에 풀어 놓으셨다.

굽어진 허리로 높은 싱크대에 매달리듯 조리하는 모습이 힘겨워 보인다. 미역국 끓일 자신이 없으니 엄니께서 하는 것을 도왔다.

소고기와 물에 불린 미역을 참기름 둘러 그냥 볶은 뒤에 쌀뜨물을 붓고 물을 적당히 맞춰 끓이면 된다고 하셨다. 손맛이 좋은 엄니의 미역국 맛이 기대된다.

7시가 되기 전에 어머니 구순 생신 밥상이 완성되었다. 母子는 겸상을 하고 마주 보고 앉았다.
"엄니 생신 축하해요. 생일 밥 맛있게 먹읍시다."하고 인사를 올렸다. 평일 아침 아들이 어디 출근하는 것도 아닌데 이렇게 이른 식사를 하는 것이 의아하기도 했다.

봄비가 내린 시골 동네는 고요하지만 집 마당은 벌들의 비행 소리로 요란하다. 축담에도 담벼락 아래에도 사각모양의 토종벌 집이 줄지어 서있다.
집 마당에 15통, 집 밖 다른 공간이 15통, 현재는 총 30여 통이다. 봄꽃들이 한창이니 일벌들도 제철을 맞이 한듯하다.
오리지널 토종벌에 토종꿀 생산이다. 100% 순도를 보장하는 진짜 토종꿀이다. 생산량은 많지 않지만 순수 그 자체를 자랑으로 삼고 있다. 토종벌 사육은 큰 형님 몫이다.
오랜 기간 동안 노하우가 축적되어 이제는 토종벌의 전문가가 되었다. 벌 한통 분양하는 금액이 40만 원이고, 꿀 1.8리터 한 되는 35만 원 수준이다.

텅 빈 마당에 앉아 벌들의 모습을 바라보고 있는 것이 하나의 일상이고 즐거움이기도 하다.
벌통 앞으로 꼬리긴 할미새와 가슴이 붉은 딱새가 번갈아 방문한다. 딱새는 죽은 벌을 먹고 할미새는 죽은 애벌레를 먹는다.

벌들이 죽거나 애벌레가 죽으면 그 시체들을 일벌들이 하나하나 벌통 밖으로 물어낸다. 죽은 이들은 새들의 먹이가 된다.

엄니께서는 마당을 쓸 때도 새들의 먹이가 될 벌들의 시체들은 남겨 둔다고 하신다. 금세 또 할미새가 날아와 하얀 애벌레 시체를 쪼아 먹고 있다.

5월의 시작

산마루에 핀 하얀 아까시꽃 아래에 노린재, 국수나무, 돈나무도 하얀색으로 꽃을 피우고 있다. 동네 뜰에는 해당화의 붉은 꽃도 피라칸타의 하얀 꽃도 이제 막 피기 시작했다.

담장에 매달려 있는 줄장미도 자기 존재의 모습을 선홍색의 꽃으로 보여준다. 5월은 봄이기도 하지만 여름의 시작이기도 하다. 4월과 5월을 이어준 철쭉의 순한 분홍이 푸르름 속에서 더욱 빛난다.

하루의 시작 출근길에 도심을 걷는 일이 이제는 일상이 되었다. 부경대 캠퍼스를 가로지르는 길, 공과대학 앞뜰에는 하늘 높이 솟아 하늘을 가리고 있는 한 아름드리 히말라야시다가 즐비하고 두 아름드리 곰솔들로 어우러진 작은 솔동산이 있다.

원 도심 속에 이런 원초적 자연이 있다는 것이 감동이다. 늘 있는 것이 당연하다고 느껴질지도 모르지만 그 당연함 속에는 나름의 역사와 인간의 지혜가 담겨 있다.

작은 동산에 이런 푯말이 세워져있다. [휴식년제 안내] '우리 대학의 시작과 역사를 같이하며 교목(곰솔)으로 구성된 솔 동산을~ 자연 그대로 보존하고 가꾸고자 2022. 10월부터 2023. 9월까지 자연 휴식년제를 실시하오니 협조를 부탁드립니다.'

휴식년제로 역사와 솔을 지키려는 학교 측의 배려가 또 하나의 작은 울림으로 전해진다. 부산의 랜드 마크인 금정산도 사람들로 인해 몸살을 앓고 있어 1996년부터 현재까지 권역별로 휴식년제를 시행하고 있다.

휴식하고 있는 솔 동산 아래엔 애기똥풀, 고들빼기, 자운영, 꽃 양귀비, 뽀리뱅이 등의 芳草들도 쉬고 있는 동산과 함께하고 있다.

4월도 과거의 어느 때가 되었고 오늘은 5월을 살고 있다. 참 좋은 아침이다. 아침밥을 차려 함께 먹는 아내가 있고, 하루를 출타할 곳이 있고, 찾아주는 지인도 있고, 하고 싶은 일이 있고, 좋아하는 것 즐길 수 있는 취미도 있고, 특히 내가 홀로 머무를 수 있는 오피스가 있으니 더욱 좋다.

어느 날 내가 은퇴자라는 사실을 깨달은 때가 있었다. 주어진 현실을 깊게 내 것으로 받아들이는 데는 많은 노력과 시간이 필요했다. 삶은 늘 배워 알아가는 것이고 깨달아 가는 것이다.

마음의 평정심을 갖추는데 많은 노력과 시간을 투자했다. 삶에 매우 중요한 것 하나 마음의 평정심을 유지하고 나에게 주어진 삶을 내가 살아가는 것이다. “말이 많고 생각이 많으면 진리로부터 멀어진다."는 법정 스님의 말씀을 마음에 새겨둔다.

며칠 전에 존경하는 김태 시인을 만났다. 그의 시집 6집을 선물 받았다. 「창窓너머」 2023. 3. 24세상에 나온 시집이다. 시인의 향기와 시의 전율과 책의 숨소리가 전해졌다. 시집을 손에 들고 부경대 솔 동산 히말라야시다 아래서 한 꼭지를 소리 내어 읽어본다.

〈울고 싶을 때〉
울고 싶을 때 울어야 한다/ 그 울음을 막지 마라/ 울음은 저절로 터져 나오는 것이다/ (중략)
울고 싶을 때 울 수 있다는 것은/ 울음을 들어줄 사람이 있기 때문이다/ 하늘이 무너지고 아픔을 겪으면/ 울음조차 나오지 않는다/ 그 아픔을 혼자 감당해야 하기 때문이다/ 울어도 들어줄 사람이 없으면/ 함께 울어줄 사람이 없으면/ 가슴에 병이 된다/ 한이 된다/ 이 울음을 알아 달라고/ 땅을 치고 울까 벽을 치고 울까/ 막혔던 눈물샘은 언젠가는 터진다.

산문처럼 쓴 그의 시들을 읽고 있으니 참 좋다. 책은 쓰는 사람도 읽는 사람도 즐거움과 기쁨을 준다.

아름다운 이 계절에 시집 하나 읽는 여유를 가지면 정서적 건강에 큰 도움이 될 것으로 여겨진다. 행복의 90%는 건강에 달려있다고 했다.

육신의 건강도 중요하지만 정신의 건강도 그에 못지않을 터이다. 오늘 햇살 좋은 5월을 시작하는 아침에 나의 퀘렌시아로 가는 길은 상쾌하고 가볍다.

금강경 마음공부

좋아하는 님께서 <금강경 마음공부>라는 책을 주었다. 부제목으로 '불안과 두려움을 다스리고 초조하지 않게 사는 법'이라고 붙여져 있다. 중국사람 페이융이 썼다.

금강경은 대승불교의 경전이고 부처의 깨달은 지혜의 삶에 대하여 설법한 내용을 담은 경전이란다. 지은이는 '18분 만에 이해하는 금강경'해설에 이렇게 적었다.

금강경의 정식 제목은 능단금강반야파라밀경이다. 불교에서 굉장히 중요한 경전이며 불교학의 근본이 되는 교법을 담고 있다고 했다.

금강경은 '반야바라밀' 지혜에 관한 책이다. 불교에서 말하는 지혜란 세상의 모든 도리를 알고 세상의 모든 것에 집착하지 않으며 오로지 정신적인 경지만을 추구하는 것이다.

책 속을 잠시 들여다본다. 석가모니는 원래 왕자였다. 기원전 약 565년 인도 카필라성에서 태어났다.

공자가 태어난 때는 기원전 552년 이니 석가와 공자는 동시대 사람이다. 석가모니의 본명은 고타마 싯다르타다. 석가모니는 사람들이 그를 불렀던 존칭으로 석가족의 현인이라는 뜻이다.

싯다르타는 29세가 되던 해에 왕위와 가족을 모두 버리고 왕궁을 떠나 진리 탐구의 길에 올랐다. 현자들을 찾아가 스승으로 모시고 고행과 마음 수양을 했지만 실망하고 진리를 발견하지 못하였다.

그렇게 6년을 넘게 곳곳을 돌아다니며 진리를 찾아 헤매던 어느 날 지친 몸을 이끌고 니연선하 기슭에 있는 빌바라수(보리수) 밑에서 묵상에 잠겼다.

꼼짝하지 않고 깊은 선정에 들어 간지 7일째 되던 날, 별안간 별똥별 하나가 하늘을 가르며 떨어지는 순간 문득 깨달음을 얻고 부처가 되었다.

그때 석가의 나이는 35세였다. 부처 또는 불(佛)이란 '깨달은 자'라는 뜻이다. 부처가 된 석가모니는 설법하기에 적당한 녹야원에 들어가 설법을 했다. 그때부터 석가모니는 45년 동안 진리를 설파하는 삶을 살았다.

자신의 설법을 글로 남기지 못했으니 그의 학설은 책이 아니라 입에서 입으로 전해졌다.

석가모니가 세상을 떠나기 전에 제자들에게 당부하기를 "

내 불법을 세상에 전파할 때는, 설법을 하기 전에 여시아문(如是我聞 나는 이와 같이 들었다)이라는 말을 덧붙여라. 그러면 중생들이 내가 한 말임을 믿을 것이다"
불경의 첫머리가 '여시아문'으로 시작된다면 그것은 석가모니가 말한 가르침의 뜻이다.

금강경을 읽는 것은 학문이 아니고 수행이다. 마음이 빠르고 맹렬한 번개나 단단한 다이아몬드로 만들어, 어떤 형태와 관념에도 유혹당하지 않고 번뇌하지 않으며 분명하게 들여다보고 본질을 꿰뚫어 보게 만든다.
이 세상의 모든 형태와 관념에 흔들리지 않고 자신의 본래 모습 안에서 평온하게 머물며 생명 자체의 희열을 느끼게 될 것이다.

금강경 마음공부로 은퇴자의 불안과 두려움과 초조한 마음을 다스려 자신의 삶을 잘 가꾸어 살 수 있도록 힘과 위안을 주고자, 책을 선물해준 님의 소중한 마음에 고마움과 감사함을 전한다.

책장을 넘겨 책속으로 들어가 본다. 금강경 첫머리를 읽는다. '어느 날 부처가 사위국 기수급고독원에 계셨다' 부처란 '깨달은 자'라고 했고 금강경을 읽는 것은 수행이라고 했다. 금강경을 읽는 수행을 통해 부처가 되어 보기로 한다.

이 름

류시화 시인의 '새는 날아가면서 뒤돌아보지 않는다.'라는 산문집을 읽으면서 시인이자 작가인 류시화는 본명이 아니고 필명임을 알았다.

본명은 안재찬이고 58년생 개띠다. 최근에 어떤 동료의 시집 출판기념회 안내장을 카톡으로 보내왔는데 '백암'이라는 號를 쓰고 있다.

요즘 사람들이 이름 앞에 호라는 명칭을 붙여 쓰는 것이 유행인가 보다. 유명인들도 다른 이름들을 쓰고 있다.

대하소설 '토지'를 쓴 박경리(박금이) 작가도, '내려올 때 보았네, 올라갈 때 보지 못한 그 꽃'을 쓴 고은(고은태) 시인도 그랬고, 내 주변의 시조시인 우아지(우현숙) 선생도, 김태(김태수) 시인도 그랬다.

옛날 선비들은 자와 호를 썼다. 작가는 필명을 쓰기도 하지만 대부분 본명을 쓴다. 필명을 쓰는 이유는 여러 가지가 있겠지만 편리성과 긍정적인 측면 때문이란다.

나에게도 두 개의 이름이 있다. 우선 '펀펀'이라는 닉네임이다. 2022년 봄에 〈펀펀 세상이야기(1)(2)〉 를 출간했고, 네이버 블로그에 '이승국 펀펀 세상이야기'를 계속 쓰고 있다.

사람들이 묻는다. "작가님, 펀펀이 무슨 뜻입니까" 펀펀은 '펀펀하다'에서 시작되었다. 영문 FUN이다. 명사로는 '재미', 형용사로는 '재미있는, 즐거운'의 뜻을 가지고 있다.

2013년 50대 초반에 내가 살아가야 할 길을 위한 '삶의 지표 10가지'를 만들 때 닉네임으로 지은 이름이다. FUN-fun이다. 재미있고 즐겁게 살고자 하는 의미다.

나를 잘 아는 지인들은 펀펀 님, 펀펀 선생, 펀 작가님이라고 불러 주기도 한다.

"내가 그의 이름을 불러주었을 때 그는 나에게로 와서 꽃이 되었다."라는 시 구절처럼 나도 그렇다. 누가 나의 이름을 불러주면 나도 그에게로 가서 꽃이 되어주고 싶다.

어떤 독자 분은 '펀펀하다'를 국어사전에 있는 대로 '평평하다, 너르다'로 알고 있는 분도 있다. '굴곡 없이 펀펀하다'도 나쁘지는 않지만 펀펀 과는 차이가 있다.

이제는 'FUN-fun' 이라는 이름값이 내가 살아가는 의미와 가치이기도 하다. '펀펀 세상이야기'는 이승국이라는 한 사람이 살아가는 삶의 이야기다.

누구의 간섭이나 평가는 필요하지 않다. 널리 알려지지 않아도 많이 읽히지 않아도 괜찮다. 누구에게 보여주기 위함은 더더욱 아니다. 내 내면의 삶을 표현하는 일련의 의식이고 나를 찾고 만나는 행위다. 세월이 지나 돌아보니 내 삶의 역사가 되었다.

또 하나의 이름은 형님이다. 성씨가 이가이니 그냥 '이형'이다. 〈편편 세상이야기(1)〉 에 이렇게 썼다.
「나는 형이다. 형이라는 주체는 '크다. 높다'라는 상징적 의미도 있지만 '좋다. 친근하다'는 대중적 의미도 있다. 내가 생각하는 형은 상징적 대중적 의미도 아닌 '믿을 수 있다. 의지할 수 있다. 그냥 따라 만 가도 괜찮다'라는 그런 형이고 싶다」

최근 내가 머무는 오피스에 『兄 님 山房』 이라는 명판을 걸었다. 山房은 산에 있어야 하는데 지금은 도시 한복판 오피스에 있다.
적당한 시절에 숲이 있는 고요한 산 밑에 자리를 잡게 될 것으로 기대한다. 옛날 선비들은 산 좋고 물 좋은 명당자리에 산방을 만들어 여생을 보냈던 것처럼 나도 그렇게 살고 싶다. 나는 지금 '兄 님 山房'에 머물고 있다.

봄 숲의 개선장군 층층나무

비 오는 날에 흥얼거리던 노래를 기타 연주로 불러본다.
'그댄 봄비를 무척 좋아하나요. 나는요 비가 오면 추억 속에 잠겨요. 그댄 바람 소리 무척 좋아하나요. 나는요 바람 불면 바람 속을 걸어요.'
봄비는 봄비라는 존재에 걸맞게 와야 하는데 추억 속에 잠기지도 바람 속을 걷지도 못할 만큼 거칠게 왔다.
어린이날이 있는 황금연휴에 강풍을 동반한 봄비가 억세게 내렸다. 어버이 날에서야 억센 기세가 꺾이고 청명 했지만 바람의 꼬리는 아직 찬 공기를 가득 머금고 있다.

어버이날 아침에 대운산으로 출타를 했다. 어버이날 아버지도 하루쯤 홀연 한 쉼의 시간을 가져 보기로 했다. 다시 오지 않을 올해 봄이 떠나기 전에 그 봄의 끝에 잠시 머물고 싶었는지도 모른다.

어버이날 찾아주는 가족도 없으니 어버이끼리 아침식사 자리를 마련했다. 오랜만에 가족식당에서 아내와 소고기 국밥이 차려진 식탁에 마주 보고 앉았다.
일상의 월요일 대중들은 한주의 시작 날로 분주한 출근시간이지만 우리에게는 이젠 분주함 따위는 분명히 졸업한듯하다.

국밥 한 숟갈을 뜨면서 내가 말했다. "이 아침에 왜 밖에서 아침 식사하자고 했는지 아시오"라고 했더니, 아내는 "왜 깊은 뜻이라도"라고 되묻는다.
"어버이날이니 어버이끼리 마음의 위안이라도 삼자고 주인 어버이가 밥 사주는 거요. 국밥 한 그릇 맛나게 먹고 자식에 대한 섭섭한 마음을 달래시구려." 하고는 한바탕 웃었다.

대운산 자연휴양림은 명품 숲이다. 양산에 위치에 있어 본가로 부터 한 시간쯤 거리에 있지만 내가 즐겨 찾는 마음과 육신의 쉼터가 된지 오래다.
두해 전 여름날 아름답지 못했던 숲의 추억도 고스란히 간직하고 있다. 그때도 사나운 비 때문에 아름답지 못했다.

숲도 며칠간의 비바람으로 수난의 흔적이 가득하다. 갓 피어난 꽃들이 제 역할도 다하기 전에 비바람에 떨어지고 새 잎들도 광합성 한번 제대로 해보지 못하고 가지에서 이탈되어 숲에 흔적만 남겨두고 있다.

나무는 가만히 있고 싶어 했으나 비바람이 꽃잎과 새잎을 영글기도 전에 찢기고 부러지고 이탈시켜 버렸다. 이것이 자연현상이고 자연스러운 것임을 나무는 아는지 고스란히 받아들이고 있다.

오늘 휴양림은 출입을 단속하는 여력이 안 되나 보다. 출입문을 활짝 열어놓았다. 평소 산림교육 전문가로 국가로부터 '산림보호지도요원증'을 발급받아 지참하고 있으니 휴양림, 수목원, 정원 등의 출입은 자유로운 사람들이니 출입문 개방은 별 의미가 없다.

휴양림 내 하얀 물줄기로 흘러내리는 계곡물은 어느 여름날 육신을 입수시킨 그 계곡수를 연상케 한다.

많은 봄비로 인해 계곡에서 살아가는 봄맞이 수서 곤충들도 때 아닌 홍수로 큰 재난을 겪었으리란 생각이 든다. 어디나 생명체들은 늘 존재하고 살아가기 마련이다.

국가대표 숲 해설가와 동행하는 대운산 생태탐방이 오늘 내가 살아가는 또 하나의 즐거움이고 기쁨이다.

계곡 산길을 따라 한 시간이 조금 지나 이마와 가슴팍에 땀 줄기가 흘러내릴 때 쯤 정상에 도착했다. 지난가을 날 장안사에서 대운산 정상을 올랐고 이곳 휴양림에서 정상을 오른 것은 이번이 처음이다.

봄비의 습기가 가득한 산은 고요하기만 하다. 연분홍 산철쭉 들이 키 큰 나무 아래에서 자신도 큰 키를 키워가며 높은 가지에 연분홍 꽃들을 가득 피우고 있고 산 까마귀들만 입산자의 먹이 주머니를 노리며 까악~까악~ 울어댄다.

하산 길에 만나는 층층나무의 하얀 꽃들은 층을 이루고 쪽동백, 때 죽, 말발도리의 하얀 꽃들은 마치 인공으로 장식된 모형과 같이 가지런히 조롱조롱 매달린 채 향기를 뿜어낸다.

이른 봄에 수줍게 피는 노란 생강나무 꽃이 봄의 전령사 숲의 요정이라면 기세 높은 층층나무의 층층이 핀 하얀 꽃은 봄을 호령하는 숲의 개선장군으로 보인다.
층층나무, 쪽 동백, 때죽의 새하얀 꽃들의 향기와 아름다움이 대운산 명품 숲의 품격을 지켜주고 있다. 아마도 가을에는 붉은 잎의 사람주나무가 그 품격을 이어갈 것으로 기대된다.

오후의 산바람은 옷매무시를 여밀 정도로 차다. 숲속에서 힐링을 즐기며 오래 머무를 수가 없는 것이 아쉬움으로 남는다. 오래 머물러 있고 싶은 대운산 휴양림 올해도 뻔질나게 드나들 요량이다.

F 에게

주말 아침 비가 옵니다. 간밤 늦은 퇴근길에 작은 빗방울이 떨어지더니 밤새 큰 빗방울로 아침까지 이어졌나 봅니다.
지난주 어린이날 연휴에도 비가 내려 연휴를 망쳤다는 사람들의 원성을 들었는데 오늘도 그럴 것 같습니다.
오후에 자원봉사 일정이 있어 정오의 낮 시간에 광안대교 하부를 지나고 있습니다. 아직도 가는 비가 내리고 도시의 빌딩들은 희뿌연 한 안개 속에 묻혀있습니다.
과거 어느 날에 노르웨이 피오르 해안에서 오슬로 도시를 보았던 백야의 밤같이 높은 빌딩 숲들의 흔적들만 적막하게 보입니다.
먼 바다는 고요하지만 남천동 해안가는 먼데서 밀려온 밀물이 테트라포트에 부딪쳐 하얀 포말들을 만들어 내고 있습니다.

부산 산림교육의 메카인 '부산산림교육센터' 자원봉사 참여자 일지에 이름을 썼습니다. 센터는 금사동 윤산 아래에 있습니다.

1985년에 개교한 윤산 중학교가 2013년에 폐교되고 그곳 학교를 안 밖으로 Remodeling 하여 2015년에 지금의 부산 산림교육센터를 개소했습니다. 개소했다는 표현은 내가 현직에 있을 때 산림교육센터 조성 담당팀장 역할을 했기 때문입니다.

윤산 중학교는 BTS 멤버 지민(박지민) 군이 졸업한 학교로 한때 유명세를 타기도 했습니다. 지금도 2층 숲 도서관에는 그 당시 모습의 학교 원형을 일부 보존하고 있습니다.

'부산산림교육센터'의 짧은 역사는 내 현직의 일부분이기도 합니다. 여러 기관의 지원과 노력으로 탄생된 창조물이니까요. 개척과 창조는 수많은 부정적인 여론과 질타를 극복하고 오직 미래를 위한 사명감에 의해 탄생되는 것입니다.

지난 시절 한때는 개척자 책임 팀장으로 한때는 관리책임자로 역할을 했던 곳인데, 지금은 숲 해설가 자격으로 자원봉사에 참여하고 있으니 감회가 새롭습니다.

월 1회 정도 주말 오후에 자원봉사를 하기로 해서 오늘이 4번째로 참여하고 있습니다.

주말은 주로 가족동반 숲 체험 프로그램을 운영하고 있는데, 오늘은 비 때문에 오전 숲 활동 일정은 취소했나 봅니다.

오후 프로그램 염색 체험에 6가족쯤 참여를 하고 있습니다. 여기도 No-Show가 빈번히 있다는 관리자 선생님 말씀에 의아하기도 합니다.

초등생과 보호자 가족이 함께 참여하는 사전 예약 프로그램에 노-쇼라니, 요즘 신세대 젊은이들의 일면을 보는 것 같아 씁쓸함이 느껴집니다.

산림교육센터는 부산시에서 운영하는 숲 학교이기도 합니다. 미래세대에 자연과 숲을 알리는 산림교육의 메카이지만 이용자가 그렇게 많지 않은 듯 보여 아쉽기도 합니다.

센터 운영을 담당하고 있는 (사)부경 숲 해설가협회 소속의 선생님들의 노고에 시민의 한 사람으로 고마움과 감사한 마음을 전했습니다.

주말 오후 한나절, 숲과 함께하는 자원봉사가 큰일은 아니지만 이 또한 내가 살아가는 한 순간이기도 하고 소중한 삶의 작은 실천이기에 내 마음은 편하고 좋습니다.

스승의 날

아침 신문에 「우울한 스승의 날」 이라는 기사를 본다. 현직 교사 80%는 다시 태어나면 교사 안 하겠다는 답변이고, 5명 중 1명만이 다시 태어나도 교사하겠다는 답변이다.

교사들이 가장 어려움으로는 '문제행동, 부적응 학생 등 생활지도 30.4%, 학부모 민원 및 관계 유지 25.2%, 과중한 행정업무 18.2% 등이란다. 스승의 날인데 이 시대의 스승이란 어떤 의미일까.

스승의 날은 '교권 존중과 스승 공경의 사회적 풍토를 조성하여 교원의 사기 진작과 사회적 지위 향상을 위하여 지정된 날'이다.

법정기념일 지정은 1963년 5월 26일로 지정되어 1965년부터 5월 15일로 지정되었다. 1973년 정부의 방침에 따라 한때 폐지되었다가 1982년에 스승을 공경하는 풍토 조성을 목적으로 다시 부활되었다.

어떤 지인에게 "스승의 날이 왜 5월 15일 인지 알아요."하고 물었더니 "글쎄요 깊이 생각해 보지 않았어요."라고 답한다. 5월 15일은 세종대왕 탄생일이다. 세종대왕은 1397년 4월 10일에 태어났다. 그날을 양력으로 환산하면 1397년 5월 15일이란다.

세종대왕은 한글을 창제하여 백성에 큰 가르침을 준 겨레의 스승이라는 의미를 담아 5월 15일을 스승의 날로 정해졌다.

한때는 선생님 직업이 가장 선호 받는 직업군에 속했고 특히 여교사는 며느릿감 1위 자리를 고수했었다.

지금은 그렇지 않은듯하지만 선생님이라는 직업은 일반 직업군과는 비교할 수 없다. 존중과 사회적 공경과 지위는 보장되어야 하며 스스로 스승의 격을 갖추어야 한다.

주변에 평생 평교사로 퇴직하신 분들이 여럿 있지만 직업으로서의 교직 생활에는 큰 후회는 없지만 스승으로서는 늘 부족함이 있었다고 한다.

시대 변천에 따라 사회와 사람이 변했지만 스승은 스승이다. 스승의 날에 스승에 대해 잠시 생각해 본다.

우리에게도 나에게도 진정한 스승이 있는가. 결코 짧지 않은 삶을 살면서 불확실한 미래에 희미한 등불이라도 지펴주고 힘든 삶에 지혜를 일깨워 줄 스승 한 분쯤 있다면 얼마나 좋을까.

누구에게나 인생의 멘토 같은 스승의 존재는 필요하다. 우리도 나도 그 어느 누구의 스승이 될 수도 있고 멘토가 될 수도 있다.

나이가 들어갈수록 스승 같은 마음을 가져야 한다. '나 때는 그랬는데'라는 꼰대같이 지적질, 일방적 자기중심의 생각과 행동은 이제 그만 멈춰야 한다. 마음을 수양하고 지혜의 그릇을 꾸준히 키워야만 어른다운 삶을 살 수 있다.

나는 내 삶의 바탕에 '선비정신'이라는 작은 중심을 두고 있다. 선비정신이란 자신의 성장을 위해 끊임없이 배움과 인격을 키우며 세속적 이익보다 대의를 따르는 이타적인 삶을 사는 것이다.

스승의 날에 나도 그 누구의 지혜로운 스승이 되었으면 하는 바람과 시니어 세대 늙은이로 취급받고 있지는 않는지 삶의 정신을 다시 한 번 돌아본다.

유월의 시작

한 계절의 시간이 또 새롭게 왔다. 유월의 시작이다. 어제와 오늘이 특별한 변화는 없지만 우리의 의식과 인식 속에는 오월과 유월은 현저한 차이가 있다.

오월에도 많은 일들이 있었지만 모두 지나간 과거가 되었다. 시간은 늘 흘러가고 있으니까. 주어진 시간 속에서 내가 선택한 삶을 내가 살고 있다.

어떤 삶이 성공적이고 후회하지 않을 삶인지는 알 수가 없지만 주어진 인생을 그렇게 살아내고 있다. 오월에는 법정스님의 말씀을 곱씹어 읽었는데 유월의 시작은 법륜스님의 말씀들을 듣고 있다. 짧은 문장으로 이렇게 옮겨 본다.

'욕심을 버리면 나는 지금 이대로도 괜찮고, 애쓰고 긴장할 일도 없어진다.'

삶이 자유롭지 못하는 이유는 욕심 때문이다. 욕심과 욕망이라는 틀 속에 자기를 옭아매고 속박하기 때문이라고 하신다.

'깨달음은 특별한 게 아니라 사실을 사실대로 알아차리는 것이다'

깨달음은 현자, 고승 분들이 하는 것인 줄 알았는데 깨달음은 멀리 있는 게 아니다. 그저 그것을 그것이라고 알아차리는 것 그것뿐이라고 한다. 살다보면 이런 일 저런 일들이 많다. 그런 일들이 생기면 그저 저희 생각대로 해석한다. 그런데 그렇게 하는 대신 좋은 것도 아니고 나쁜 것도 아니고 그저 그것일 뿐이라고. 알아차리라고 하신다,

'열정은 약간 들뜬 상태이다. 삶은 그냥 살아지는 것이다'

열정과 함께 살아라. 꿈이 있어야 한다. 그저 삶을 낭비하지 마라. 하지만 이 열정이 과해서 괴로움의 원인이 되기도 하는 것 같다. 돈 많이 벌어야지 좋은 차, 좋은 옷, 사회적 지위 등을 얻을 수 있다고 하지만, 다람쥐는 할 수 있는 만큼 그저 살기 위해 도토리를 줍느라 괴로워하지도 않는다. 인간도 할 수 있는 만큼 하면서 편하게 살 수 있다고 하신다.

'베푸는 마음만 내고 기대하는 마음이 없어야 한다.'

남에게 무언가를 해주고 기대하는 심리가 있다. 하지만 내가 상대에게 베푼 만큼 돌아오지 않으면 괴로워한다. 사랑하기 때문에 미움이 생기는 것이 아니라 사랑받으려 하기 때

문에 미움이 생긴다. 바다를 보면 기분이 좋은 것은 바다가 나를 좋아해서가 아니라. 내가 바다를 좋아하기 때문이다. 베풀고 나서 돌아올 것을 바라는 게 아니라. 그저 베풀 뿐이라는 것을 알아차려야 한다고 하신다.

'화가 나는 이유는 내가 옳다는 생각이 마음 깊이 있기 때문이다'

다른 사람들 때문에 화가 나는 것이 아니라 '나는 옳고 너는 틀리다'는 마음가짐 때문에 화가 나는 것이라고 하신다. 말로는 객관적이라고 하지만 속을 보면 결국 내 주관적으로 판별하는 것이다. 내 가치관, 성향, 취향 등이 기준이 되어서 사사건건 옳고 그름을 가리려는 것보다 그저 마음을 들여다 보는 연습이 필요하다고 하신다.

'인정하면 자유로워진다.'

잘못한 줄 알면 고쳐야 한다. 몰라서 못 고치는 사람이 있다. 모르는 것은 물어서 알면 되고 알아도 자존심 때문에 못 고치는 사람이 있다. 틀린 것을 맞다 하고 모르는 것을 안다 그렇게 하기 때문에 인생이 힘들어진다. 모르는 것은 모른다, 틀린 것을 틀리다, 인정하면 삶은 더 쉬워지고 편해진다고 하신다.

'자식에 대한 정을 끊어야 한다.'

자식에 대한 지나친 관심이 자식을 망친다. 자식이 자립을 할 수 없게 만들고 자신도 죽을 때까지 괴롭게 된다. 자식의 삶을 놓아두어라. 자식의 삶은 자식의 삶이라는 사실을 인정하고 그냥 독립적으로 살 수 있게 하라고 하신다.

법륜 스님의 좋은 말씀 모두 다 할 수는 없지만 그래도 아는 것과 모르는 것은 다르니 조금씩 나아지도록 머리와 가슴에 간직해 삶의 지혜로 섬기고 싶다. 새로운 유월의 시작에 흐트러지려는 내 현실의 삶에 큰 가르침으로 받아들인다.

태종대 숲길

오늘은 6월 12일 월요일이다. 늦은 오후 시간에 태종대 유원지 '황칠나무 힐링 숲길'을 따라 태종사까지 걸었다.
숲길 초입에 이런 시판이 걸려 있다.「어디라 없이 문득/ 길 떠나고픈 마음이 있다/ 누구라 없이 울컥/ 만나고픈 얼굴이 있다」나태주 시인의 '추억'이란 詩의 첫 소절이다.

나태주 시인의 '추억'이란 시를 찾아 읽어보았다.「어디라 없이 문득/ 길 떠나고픈 마음이 있다/ 누구라 없이 울꺽/ 만나고픈 얼굴이 있다/ 반드시 까닭이/ 있었던 것은 아니다/ 분명히 할 말이/ 있었던 것은 더욱 아니다/ 푸른 풀밭이 자라서/ 가슴속에 붉은/ 꽃들이 피어서/ 간절히 머리 조아려/ 그걸 한사코/ 보여주고 싶었던 시절이/ 내게도 있었다」

금년 3월 1일에 시작한 외국인으로서의 한국어 학과 3학기 수업 과정 중 1학기를 무사히 진행했다.
지난 주말부터 기말고사 시험을 쳐서 월요일 오늘 오후 2

시까지 치렀다. 머리가 찌긋찌긋하고 자갈 굴러가는 소리가 들렸다. 용량이 낮은 시원찮은 뇌를 너무 과하게 굴렸더니 뇌 세포의 스트레스로 인한 두통 인가보다.

노트북 3대의 화면을 열어 놓고 학우님의 도움을 받아 무사히 시험을 치렀다. 도움 주신 학우님께 감사를 드린다.

설대 없는 일을 시작해 사서 고생한다는 핀잔도 있지만 아직까지는 꾀부리지 않고 성실하게 학습과정을 잘 이어가고 있다.

사이버 출석수업, 과제, 토론, 퀴즈, 독서토론 등 세부 과정이 만만하지 않다. 세상 모든 일이 그저 주어지는 것이 없다는 진리를 또 한 번 깨닫고 있다. 차라리 학교를 다니는 것도 나쁘지 않을 듯하다.

1학기는 8과목 24학점 과정이다. 성적 결과는 알 수 없지만 F학점이 나올 수도 있으니 긴장되는 것은 사실이다.

며칠간의 긴장된 육신의 머리도 식히고 혼잡한 일상에 잠시나마 쉼의 시간도 가지고 아름다운 수국 꽃의 추억도 되새겨 보려고 태종대의 태종사로 들어가는 길이다. 퇴직 후에는 첫 걸음이지만 태종대에 대한 추억은 가득하다.

현직 시절 태종대 일대에 소나무 재선충병이 상당히 발생되어 문화재로 잘 보존되어야 할 자연자산이 무너질 위기에 처했다.

그 당시 특별 방제구역으로 지정하여 소나무 지킴에 충력을 기울였다. 해안가 절벽지에 위치한 피해 목을 제거해 산림청 헬기를 지원받아 처리하기도 했고, 산림청장과 함께 태종대 유람선에 승선해 방제 현장 지휘를 하기도 했다.

소나무가 없는 태종대 유원지 상상할 수도 없었다. 그때 상당량의 소나무가 베어졌지만 자연은 또 이렇게 회복되고 여전히 푸르름을 유지하고 있다.

태종대의 또 하나의 명소는 태종사의 수국 꽃이다. 6월에서 7월에 피는 수국은 분홍색과 파란색을 보인다.

아직은 만개 상태는 아니지만 예전에 화려했던 전성기 모습에는 미치지 못하다. 아마도 코로나 여파로 이용객이 감소하여 꽃의 세력도 감소되었나 보다.

수국 꽃의 색깔에는 약간의 비밀이 있다. 토양의 성분에 따라 꽃의 색깔이 달라지기 때문이다. 토양 산성도 pH6.0 이상 알칼리성 토양에는 분홍색 꽃이 피고, 산성토양에는 파란색에서 라벤더색의 꽃을 피운다. 토양 산도 조절로 꽃 색깔을 조절할 수 있는 식물이다.

태종사 경내는 지금 수국 꽃으로 가득하다. 주말에는 아마도 많은 관람객이 다녀갔을 테지만 월요일 늦은 오후 시간 지금은 한적하다.

사찰의 은은한 불경소리와 숲의 푸르름과 수국 꽃의 탐스러운 모습과 향기가 태종대의 아름다움을 더 해준다.

경내 나무의자에 가부좌를 틀고 잠시 앉아 있는데 몸과 마음이 그저 맑아지고 힐링이 된다. 낯설지 않은 태종대에서 오후 한순간의 일탈이 내가 오늘을 사는 모습이 되었다.

기억 서랍

나이 들어 기억력이 현저히 떨어진다. 간혹 어제 무얼 했는지 기억이 안날 때가 있다. 기억하지 않아도 될 일이 있지만 꼭 기억해야 하는 일도 있다.

꼭 기억해야 할 일까지 도무지 기억이 안날 때가 많더라. 어제 일도 기억하지 못하면 혹시 치매 증상 아닐까 하는 생각도 든다. 정신을 가다듬고 소중한 기억을 잊지 않으려는 노력을 해야 할 때다.

누구에게나 자기만의 기억 서랍이 있다. 또렷한 기억도 흐릿한 기억도 모두 기억의 서랍에서 나온다. 기억의 서랍이란 무엇일까.

기억력이 좋은 사람은 뇌세포 속의 기억 방에 담아둔 기억들을 필요할 때마다 총명하게 끄집어 내어준다. 그렇지 않은 사람은 늘 기억을 더듬어 낸다고 시원찮은 뇌를 원망하기도 하고 인상을 찌푸리고 억지를 부리지만 결과는 '아~아~기억이 안나'로 끝난다.

모든 것을 다 기억할 수도 없고 기억할 필요도 없다. 지난 일들은 그냥 지나간 대로 잊고 살아도 된다. 날마다 새로운 기억들이 들어오기 때문에 쓸데없는 일들은 고스란히 지워 버리는 편히 훨씬 좋다.

늙어 갈수록 시원찮은 뇌 속의 기억 방을 기대하기는 어렵다. 이제는 오로지 기록뿐이다. 기록은 기억하기 위해서 한다.

기억이 필요한 일들은 그냥 기록장에 적어 두면 그만이다. 아니면 스마트폰 일정관리장이나 메모장에 살짝 입력해두면 필요할 때 낭패를 보는 경우는 막을 수 있다.

나는 일상의 일들과 느낌들을 하루를 시작하는 시간에 그냥 기록장에 써둔다. 일기를 쓴다는 것은 의무감으로 느껴져 기록이라고 표현한다. 그냥 써둔 작은 기록장이 지금은 소중한 기억의 서랍장이고 삶의 작은 역사가 되었다.

굳이 기억 속의 기억을 억지로 끄집어 낼 필요도 없다. 필요할 때 기록장을 펼쳐보면 된다. 일상의 삶을 머릿속에 모두 기억한다면 그놈의 기억을 관리한다고 골머리가 아플 것이다.

지난 시절의 삶을 되돌아보면 지금의 삶에 위안이 되고 살아온 모습들을 다시 떠올려 보면 마음도 힐링 되더라.

요즘 유행하는 마음 위안에 '멍 때리기'가 있다. 장작불 타는 모습을 보는 '불 멍', 물을 보는 '물 멍', 숲속에서 '숲

멍', 도심을 내려다보는 '도 멍' 지나가는 사람을 바라보는 '볼 멍' 등등 이름만 붙이면 된다.
과거의 삶을 돌아보며 마음의 위안을 받는다면 '위 멍'이라고 해야 하나.

누구나 자기의 마음을 정제하고 다스리는 특단의 무기 하나쯤 간직하면 좋으리라.

우리는 때때로 자신의 마음을 격려하고 위로하고 보듬어 주어야 할 때가 있다. 이럴 때 자신의 마음에 어떤 처방과 처치를 해 줘야 할까. 일상의 소중한 순간들을 작은 기록장에 그냥 쓰기만 해도 마음의 청소와 힐링이 된다.

자기의 마음을 글로 쓴다는 것은 자기와의 만남이고 자기의 내면을 들여다보는 소중한 시간이 된다. 혼잡하고 정신없이 돌아가는 세상에 잠시 멈추어 한숨 돌리는 여유를 가져보면 좋겠다.

1년 전 오늘(2022. 6. 28) 내 기록장을 펼쳐본다.

'삶에서 인생에서 길을 잃으면 멈추어 기다려야 한다. 어떤 일을 선택해야 할지 방향이 잡히지 않으면 멈추고 기다려야 한다. 나는 오늘 책 읽기와 글들을 정리하고 기다림의 시간을 가지고 있다. 친구를 얻는 가장 좋은 방법은 스스로 친구가 되는 것이다.

혼자 여행하는 인간, 모든 인생은 혼자 떠나는 여행이다. 행복한 사람은 자기 자신이라는 친구가 있다. 어리석은 사람은 방황하고 현명한 사람은 여행한다.'

우산 속에서 만난 반년의 삶

한 해의 그 절반이 지나가는 유월의 끝자락에 서 있다. 지난주부터 장마라고는 하지만 비 같은 비를 맞아보지는 못했다. 평소 비를 좋아해서 비 오는 날 뭔가 좋은 일이 있을 것 같은 기대를 하기도 한다.

비 오는 아침 일반인들의 출근 시간인지라 도로는 차들로 줄을 섰고 자동차 클랙슨 소리가 바쁜 아침을 재촉한다.

하얀 비닐우산을 어깨에 걸치고 어제와 같이 오늘도 이렇게 동네 한 바퀴 산책하듯 걷는다.

작은 비닐우산은 겨우 머리와 상체만 가릴 뿐 신체는 빗방울이 그냥 떨어진다. 팔뚝 피부 맨살에 떨어지는 빗방울의 느낌이 참 좋다. 찬이슬 같이 상쾌하고 시원하다.

빗속을 그냥 걷는 것으로, 우산에 떨어지는 빗방울 소리를 듣는 것만으로도 신체 오감에 짜릿한 전율이 전해진다.

지난 시절 어느 여름날 통도사 이름 모를 전각 뒷마당에 물끄러미 앉아 폭포처럼 떨어지는 처마 끝 낙숫물을 바라보며 엉켜있는 마음을 씻어 내리던 그때와 흡사한 느낌을 오늘 아침에 맛보고 있다.

우산도 없이 그냥 비를 맞으며 오솔길을 걷는다면 참 좋겠다는 생각이 든다. 어저께 어떤 책에서 읽은 김수환 추기경님의 우산이란 글을 떠올려 본다.

'비를 맞고 혼자 걸어갈 줄 알면 인생의 멋을 아는 사람이오. 비를 맞으며 혼자 걸어가는 사람에게 우산을 내 밀줄 알면 인생의 의미를 아는 사람이다. 세상을 아름답게 만드는 건 비요. 사람을 아름답게 만드는 건 우산이다.
한 사람이 또 한 사람의 우산이 되어 줄 때 한 사람은 또 한 사람의 마른 가슴에 단비가 된다.' '세상을 아름답게 만드는 건 비요. 사람을 아름답게 만드는 건 우산이다.' 라는 말씀에 공감이 간다.
비 오는 아침 모두가 제각각의 색다른 우산을 쓰고 다닌다. 우산은 달라도 비를 피하는 것은 같다. 내 우산이 때로는 다른 한 사람의 우산이 되어 줄 수 있으면 좋겠다는 생각이 든다.

한 해의 반년을 또 그냥 이렇게 살고 있다. 특별하게 어떤 일을 하지 않지만 시간은 지구의 자전과 공전에 실려 나의 뜻과는 상관없이 자연스럽게 흐르고 있을 뿐이다. 굳이 세월 타령 따위는 할 필요가 없다. 흘러가는 시간 위에 그냥 걸쳐서 살아가는 것이 우리의 삶이다.

한 해의 반환점 꼭지에 올라앉은 지금 순간에 나에게 이런 질문을 해 본다. “자기 지금 잘 살고 있는가? 자기 지금 사는 것이 괜찮은가?”라고.

질문에 이런 답을 해본다. “잘 살고 있는지는 확신할 수 없지만, 분명한 것은 잘못 살고 있는 것은 아니다. 괜찮게 살고 있다”하고. 내 뜻대로 내 마음대로 살아 보는 것이 처음인데 “잘못 살고 있지 않고 괜찮다” 하니 다행이다.

내 대로 살아보니 가장 힘든 것이 하나 있더라. 남도 아니고 님도 아니고 내 마음이더라. 모든 것이 내 마음속에 있더라.

최근 법륜 스님의 말씀을 빌려 「삶의 작은 지혜」 라는 제목을 붙인 글을 작은 액자에 넣어 오피스 벽에 걸어 두고 수시로 읽고 있다.

「삶의 작은 지혜」

삶이 자유롭지 못하는 이유는 욕심 때문이다. 화가 나는 이유는 내가 옳다는 생각이 마음 깊이 있기 때문이다. 깨달음은 특별한 게 아니라 사실을 사실대로 알아차리는 것이다. 열정은 약간 들뜬 상태이다. 삶은 그냥 살아지는 것이다. 베푸는 마음만 내고 기대하는 마음이 없어야 한다. 모르는 것은 모른다. 틀린 것은 틀리다. 인정하면 삶이 더 쉬워지고 편해진다.

이웃 노모의 죽음

'아이고~ 할마시 복도 많네, 억척같이 일만 하더니 죽는 줄도 모르고 저리도 수월하게 갔네. 할마시 불쌍타' 어머니의 긴 한숨에 슬픔과 안타까움과 비통함이 묻어난다.

어머니와 비슷한 시절에 낯선 땅에 시집와서 지금까지 이웃으로 늘 함께 지내시던 또 한 분이 북망산천으로 떠났다.
그 할매도 어머니처럼 60중반에 홀로되시어 평생 농사일에 사명감과 책임감을 다했고 농사의 졸업을 죽음으로 마감했다.
10명의 자식을 출산했고 평소에 지병도 없이 허리도 꼿꼿하여 백세까지 무난히 장수할 수 있을 것이라 하셨는데 운명은 예상을 빗나갔다.

구순 잔치를 한주 앞두고 자식들이 준비를 잘 하고 있다고 자랑도 하셨단다. 동네 어르신들도 기대를 잔득하고 있었는데 며칠을 참지 못하고 운명의 신이 결국 한 인간의 행복한 순간마저 앗아갔다.

이웃 노모의 죽음에 이르기까지의 전말은 이랬다.

지난 6월 중순쯤이다. 그날도 밭일을 하셨고 저녁 답에 소나기 형태의 비가 왔단다. 어두워질 시간까지 밭에 일하고 동네에 들어왔는데, 집까지는 도착하지 못하고 동네 경로당 마당에 있는 큰 느티나무 아래 긴 의자위에 그냥 스러졌단다. 아마도 그 순간에 뇌출혈이 있었나 보다. 비 오는 밤에 스러져 비를 맞으며 밤새 그렇게 있었다.

비 오는 시골 평일 밤에 인적이 있을 리가 없다. 희미한 가로등 불빛만 할매를 지켜줬을 것이다.

집에서 불과 스무 걸음도 되지 않는 집 앞 마당에서 홀로 죽음의 길로 들어섰던 것이다.

어머니 집에서 칠십여 걸음 떨어진 곳이라. 이른 아침에 대문 밖을 나오신 어머니 눈에 스러져 있는 할매의 모습이 처음 발견 되었단다.

“사람 죽었다”하고 소리치니 이웃 분들도 나왔고 총명하신 어머니께서 신속히 119신고와 할매 큰아들에게 전화를 했단다.

어머니께서 본 할매의 처음 모습은 의자에 누워 숨소리만 푸~푸~하고 크게 내쉬었고 불러도 흔들어도 기척을 못하더라 하셨다.

온몸은 비에 젖어있고 벗겨진 고무장화 신발에 빗물이 가득하더라 하신다. 비를 맞고 밤새 스러져 있었는데 살아있는 것이 놀랍다고 하셨다.

그리고 보름쯤 병원 중환자실에서 홀로 죽음을 맞이했다. 7월이 되기 이틀 전에 숨을 거두었고 그저께 한 줌의 재로 돌아와 먼저 떠난 영감님 옆에 묻혔단다.

참으로 안타까운 운명이다. 일찍 발견되었더라면 치료가 가능했을 텐데. 어머니께서도 11년 전 여름 이맘때 참깨 밭에서 쓰러지셨다.
다행히 동네 이웃 형이 발견하여 긴급 후송되었고 5시간의 긴 뇌 수술을 받으셨다. 어머니도 뇌출혈이었고 이웃 할매도 뇌출혈이다.

먼저 떠난 할매의 일련의 과정을 어머니께서는 직접 처치하셨고 보고 느꼈을 것이다. 이야기만 들어도 충격으로 전해지는데 당사자인 어머니의 마음은 어떨까. 죽음을 그저 받아들여야 하는 현실이 충격이고 슬픔이다.
인생이 한순간이라고 하지만 죽음으로 먼저 떠난 자는 어떤지 알 수 없지만 남은 자의 마음에는 상실감과 허탈함은 오래 남을 것이다.
혹시나 어머니 마음에 Trauma로 남지 않을까 하는 염려가 되기도 한다.

어머니 시골 경로당 식구가 또 한 분 먼데로 가셨다. 어머니 유일한 고스톱 멤버 3인 중 한분이셨고 시장도, 미용실도 함께 다니시고 동갑내기로 늘 가까이 지내셨던 동무였다고 하신다.
시골 할매들이 의외로 글 모르는 분들이 많고 화투놀이 못하시는 분들이 대다수다. KBS 주말연속극의 '진짜가 나타났다' 은금실 할머니처럼 까막눈이지만 세상살이에는 큰 문제없이 살아가신다. 시골 노인 돌봄 프로그램이 많기는 하지만 한글 가르치는 프로그램이 없는 것이 아쉽기도 하다.

죽지 않으면 살아야 하는데 이웃에 늘 함께 하시던 분들이 그렇게 떠나고 있다. 어머니 당신의 마음에 상실감이 쌓여질까 심히 염려된다.
더 세밀히 어머니를 들여다보는 수밖에 내가 해드릴 수 있는 일은 없다.

어제 주말이 끝나갈 시간에 시골 어머니 집에 도착했다.
그간 동무의 죽음에 대한 이야기를 들어주고 저녁상을 차려 이른 저녁 식사를 함께했다. 어머니의 혼잡한 마음이 조금이라도 편안함과 위안이 되었으면 좋겠다는 생각을 한다.

오늘 아침상은 어머니 좋아하시는 소고기 국을 끓이고 오징어볶음을 만들어 보려 한다. 시골의 아침은 새소리와 수탉의 요란한 울음소리로 시끌벅적하다.

어머니께서는 오늘도 늘 하시던 대로 수수대로 만든 짧은 빗자루로 마당을 쓸고 계신다. 아마도 동무의 죽음을 누구보다 안타깝고 아쉬워하는 마음이 가득해 보인다.

알면서도 어려운 사람 관계

법륜 스님의 〈행복〉 이라는 책을 읽다가 '나와 생각이 다른 사람과 함께 사는 법'이라는 글이 공감되어 읽어본다.

「우리가 사람을 만날 때 작용하는 심리가 있다. 누군가를 처음 만날 때 우리는 '상대와 나는 다르다'는 전제로 만남을 시작한다.

처음엔 경계하고 탐색한다. 조심스럽게 이야기를 나누다 공통점이 하나둘 발견되면 "나하고 생각이 같네." "나하고 고향이 같네." "나하고 성이 같네." 하면서 반가워하고 금방 친해진다.

그래서 친구가 되기도 하고 동료가 되기도 하고 연인이 되기도 한다. 그래서 일단 가까워지면 '서로 같다'는 전제로 바뀐다. 그러면 비로소 관계가 단단해진 것 같지만 사실 그때부터 갈등이 시작된다.

상대가 나와 같다고 생각했는데 지내보니 아니다. 성격이나 생각은 물론 입맛까지도 다 다른 걸 알게 된다. 그렇다고 그 사람이 변한 것은 아니다. 내가 그 사람의 일부만 보고 나와 같다고 나와 잘 맞는다고 판단했을 뿐이다.
그런데도 마치 상대가 새삼스레 행동하는 듯, 뭔가 큰 잘못이라도 저지른 듯, 마음이 변한 듯 생각하기 때문에 갈등이 생긴다.

인간관계에서 서로 생각이 달라 어쩔 수 없이 갈등이 생길 때는 나와 다른 상대를 인정하고 이해하기, 이것이 모든 인간관계 맺음에서 가장 기본적인 태도다. 누구나 좋은 사람과 만나 좋은 인연을 맺고 싶어 한다.

좋은 사람의 기준은 대부분 나에게 얼마나 잘 해주는지 여부다. 나에게 잘해주는 사람은 크게 두 부류로 나뉜다. 하나는 물질적 정신적 이득이 되는 사람. 또 하나는 내 생각에 따라주는 사람. 반면 내가 싫어하는 사람은 그 반대가 된다.
이 세상에는 내 마음에 드는 사람도 있고 안 드는 사람도 있고, 내가 좋아하는 사람도 있고, 싫어하는 사람도 있다. 내 마음에 드는 사람이 얼마나 될까.
자기의 취향에 집착하면 사람들의 가치를 제대로 알지 못한다. 세상에 내 마음에 꼭 드는 다 갖춘 사람은 없다.

'Give and take'는 거래지, 관계가 아니다. '나는 너를 위해서 이렇게 했는데 너는 나한테 해준 게 뭐가 있냐.'하는 것은 거래 관계다.

가까운 사이에 갈등이 생기는 것은 사랑을 준만큼 받으려고 하기 때문이다. '받지도 못할 사랑을 내가 무엇 때문에 주었나.'하고 사랑하는 마음이 미움이 되고 실망하는 마음이 바뀌는 것은 상대방 때문이 아니라 준만큼 받고 싶어하는 내 마음 때문이다.

그러나 상대를 위해서 하는 일이 사실은 나를 행복하게 하는 일인 줄 안다면 그 일을 하면서도 상대에게 기대하고 원망하는 마음이 깃들지 않게 된다.

우리는 다른 사람의 인생, 특히 가까운 사람에 대해 지나치게 간섭하고 가르치려 한다.

자식이라는 이유로, 부모라는 이유로, 좋아한다는 이유로 상대의 인생에 막무가내로 지나치게 간섭하여 오히려 문제가 되기도 하고 서로에게 큰 괴로움을 주기도 한다.

더불어 살려면 서로 다르다는 것을 인정해야 한다. 자기를 세상의 중심에 놓고 상대에게 잣대를 들이대면 아무리 사랑하는 부부 사이라도 갈등이 생기기 마련이다.

누군가를 변화 시키는 것은 대단히 힘든 일이다. 내가 맞추는 게 가장 쉽고 빠른 해결책이다. 사람이 쉽게 변하지 않는다는 걸 알면서도 한번 바꿔보고 싶을 때는 정말로 애정과 지혜가 필요하다.
 싫다는 사람을 억지로 고치려고 들지 말고 지혜롭게 변화를 유도해야 한다.

 지금 인간관계에서 힘들고 불행하다고 느낀다면 시선을 달리해보자. 상대의 나쁜 점 말고 좋은 점도 찾아보라.
 상대의 장점을 찾는 시선으로 긍정적으로 보려고 노력한다면 상대에게 감사할 것이 더 눈에 들어오고 행복에 조금 더 다가설 수 있을 것이다.」

우리의 삶에 사람이던 사물이던 영원한 것은 없다는 진리를 알면서도 영원할 것이라는 착각 속에 집착과 욕심으로 살아간다.
 결국은 집착과 욕심 때문에 행복했던 순간을 이어가지 못하고 갈등과 고통의 굴레에 허덕이는 불행을 맞게 된다.

익숙함에 속아 소중함을

익숙함에 속아 소중함을 잃지 않아야 한다. 정인 작가는 <누군가 아픈 밤>이란 책에서 이렇게 썼다.

「수없이 많은 기억들이 시간이 흐르는 사이에 지워지고 또 지워진다. 본 것도, 읽은 것도, 느낀 것도, 생각한 것도. 어떤 기억들은 강렬해서 어제 겪은 일처럼 생생한 잔상이 남는다. 그중 내게 와서 끝내 이야기가 되는 것들이 있다.
언제나 삶의 아픈 곳에 눈길이 가는 이유는 연민 때문이다. 우리의 삶은 대부분 고단하다. 화려해 보이는 삶의 뒷모습이 알고 보면 슬픔투성이 일수도 있다.
타인의 생에 대해 함부로 정의할 수 없는 이유이다. 곳곳에 지뢰처럼 숨어있는 복병들을 피하기 위한 몸부림이 생이다. 그 생이 인제 너무 길어졌다. 그 긴 생애들이 지금보다 결코 행복해질 것 같지 않다」

남은 긴 생애들이 지금보다 결코 행복해질 것 같지 않다는 것이 슬프다. 이제 나에게도 살아온 생애보다는 살아갈 생애가 분명히 짧다.

그 짧은 생애에 행복 하리라는 보장은 없지만 불행하다는 비관도 없다. 그저 지금을 살고 있을 뿐이다.

우리는 과거로 살거나 미래로 살 수는 없다. 삶은 늘 현재만 있을 뿐이다. '지금을 산다.'는 말을 '찰나주의'라고도 한다. 찰나의 한순간인 지금을 산다는 뜻이다.

삶에 특별한 계획을 하거나 꼭 뭔가를 해야 하는 건 아니다. 아무것도 안 하는 사람은 없다. 나이 듦에 삶의 가치를 특별히 두지 않아도 된다. 살아가는 그 자체에 가치를 둔다. 지금 현재 살고 있는 인생만이 참 인생이다.

살아온 생애 보다 살아갈 생애는 내 것으로 살아야 한다. 내 것이라고 하는 익숙한 것들이 있었다. 익숙함에 젖어 소중한 내 것들을 잃었다. 익숙한 내 것보다, 익숙하지 않는 타인의 것에 더 집중했고 익숙한 내 것은 뒤로 밀려나 소외당하기도 했다.

가족도 가족 같은 사람도 자식도 친구도 그랬다. 소중했던 순간들을 함께해 주지 못하고 살아온 생애가 후회로 남는다. 살아온 생애는 어쩔 수 없지만 살아갈 남은 생애는 익숙함에 속아 소중함을 잃지 않도록 마음을 가다듬는다.

살면서 모두에게 최선을 다하고 산다는 사람도 있다. 모두에게 좋은 사람으로 평가받고 싶고 모두의 기억에 남도록 살수만 있다면 최고의 삶이다.

인간은 그럴 수가 없다. 모두가 나를 좋아할 수도 없고 내가 모두를 좋아할 수도 없다. 모두에게 잘할 필요는 더더욱 없다.

사회적 관계를 맺고 유지하는 사람들은 모두 목적에 의해 관계를 맺고 그 목적이 사라지면 관계도 멈추어지기 마련이다.

익숙함과 소중함 따위는 기대해서는 안 된다. 필요에 따른 선택과 집중으로 소중함을 잃지 않도록 해야 한다.

쉼표와 마침표

간밤 또 밤새 비가 내렸다. 빗소리도 바람 소리도 자연의 소리이고 새소리도 자연의 소리다. 닫혀진 창밖에 어둠이 가득한데 새소리는 요란하게 들어온다. 비 오는 아침에도 새들은 비에 개의치 않고 저들의 일상에 몰두하는 모양이다. 또 하루의 새 날이 새소리와 함께 시작된다.

아침 뉴스에 온 나라가 물난리로 사망 실종자가 50명에 이르고 장맛비는 아직 마침표를 찍지 못하고 계속진행 중이다. 7월의 장맛비가 우리 삶에 질서를 무너뜨리고 고통과 시련을 주고 있다. 자연의 힘에 속수무책으로 점령당하고 있다는 느낌이 든다. 자연재해로 치부해야 하는 우리의 나약함을 어찌할까.

사망자 유족과 이재민들의 비통함과 피해 농민들의 한숨에 슬픔을 공감했다. 임영웅, 유재석, 김혜수, 싸이, 이찬원 등 연예인들이 수해 복구 현장에 써달라며 각각 1억 원 이상을 희망브리지 전국재해 구호협회에 기부했다는 아름다운 뉴스도 지금 2023년 7월 19일 아침에 일어나고 있는 현실이다.

지구의 생성 이후로 단 한 방울의 물도 지구 밖으로 내 보내지 않았다는 지구의 위대함이 자연이다. 지구 안에서 선순환과 악순환이 곳곳에서 일어날 뿐이고 인간은 그것에 순응하여 살아갈 뿐이다. 원시시대부터 문명시대의 자연은 다를 바가 없다.

지구상의 표면적중 75%가 바다로 덮여 있고, 지구상 물의 97%는 바닷물이다. 나머지 3%, 그중에서 2%는 빙하 얼음 지하수이고 1%가 담수(강, 호수 등)라고 한다. 지구상 물의 1%가 선순환과 악순환으로 생명의 에너지가 되기도 하고 가뭄과 물난리로 생명을 앗아 가기도 한다. 지구 자연의 실체에 인간은 그저 기대어 살아가는 것인가.

거세게 몰아치던 장맛비가 오늘은 잠시 쉼표를 찍고 있나 보다. 오랜만에 햇볕이 있는 하늘을 본다. 잠시 쉼표를 찍고 숨 고르기를 하는 것일까. 이쯤에서 마침표를 찍어도 될 텐데 주말에 또 많은 비가 예보되어 있다. 올해 장마가 이른 마침표를 찍어 주길 바라는 마음이다.

우리의 삶에도 쉼표와 마침표가 있다. 쉼표와 마침표는 모두 현재의 시점에서 일어나는 현상이다. 먼 길을 오래 달려

왔으니 헐떡이는 숨을 몰아쉬고 계속 가야 할지 말지를 위해 멈춤과 쉼을 가지는 시간이 필요할 때가 있다.

삶의 여정 길에 쉼표를 찍어야 하는 때는 모두가 다를 것이다. 어떤 이는 아픈 육신을 돌보기 위해, 어떤 이는 이별을 위해, 어떤 이는 새 삶을 위해, 어떤 이는 마침표를 찍기 위해.

거칠고 모진 올해의 장맛비가 잠시 쉼표를 찍고 있는 때에 나도 오늘하루 나만의 쉼표를 찍고 있다.

육신아 잘 부탁해

도심의 키 큰 히말라야시다 꼭대기에서 울어 대는 수컷 말매미의 우렁찬 절규 소리가 들리는 것으로 보아 계절이 여름의 한복판에 있음을 알려준다.

아직도 올해 장마가 마침표를 찍었다는 기상청 예보는 없다. 아침에도 한줄기 비가 내렸고 갠 하늘 사이로 여름의 태양이 보이지만 습한 대기는 후 덥다.

한때 매주 월요일에 즐기던 MHD(월요 힐링데이) 일정도 이제 한풀 재미를 잃어가고 있다.

마음의 불편이 육신에 전위되었는지 목덜미와 어깨를 짓누르는 증세가 주말을 지나면서 극도로 악화되었다. 증세가 오른쪽으로 치우쳤다.

아마도 오른쪽 도구를 많이 사용하기 때문일 테다. 오른 어깨의 통증이 팔뚝을 지나 손등과 새끼손가락 끝으로 전기가 흐르는 듯 찌릿함과 떨림이 있다. 오른 팔뚝으로 아무것도 할 수가 없다. 이젠 도저히 자가로 육신의 돌봄을 할 수 없는 상태에 도달했나 보다.

과거 삶으로 보면 육신의 아픔이 잦지는 않지만 한번 아프면 심하게 아픈 것이 내 육신의 특징이다. 작년 연말 코로나 감염으로 체중이 5Kg 감소되는 슬픔을 극복한 이후로 현재까지 무난히 이 몸을 지탱해 준 육신인데. 지금 많이 아프다.

오늘부터 금주는 나를 위한 휴가 여행 일정을 계획했는데 아침에 불가피하게 일정을 취소하고 바로 병원으로 향했다. 동해안을 달려 울진에서 골프 2일, 시골 들러 이쪽저쪽 내 시간을 가져보기로 했는데 그 뜻을 시작도 못하고 포기했다. 육신이 매우 원망스럽다. 멀쩡하던 육신이 왜 하필 지금 탈이 난 걸까. 마음과 감성은 동해안을 달리고 있지만 이성이 억눌러 주었다. 친구들아 미안하다. 골프 약속 불참은 아마도 내 골프 인생 17년에 처음 있는 일이 되었다.

K관절전문 병원은 두 번째 방문이다. 과거 위험한 미끄럼틀 사고로 허리 척추 정밀 검사를 했던 곳이다.
병원은 늘 그들이 갑이다. 마냥 기다려야 하고 그들의 의견에 그저 복종해야 한다. 그들의 모든 것을 믿을 수는 없지만 아프니까 따를 뿐이다.
오전 내내 검사만 했다. 방사선 촬영, MRI, CT, 혈액 검사,

심전도 검사까지 이어졌다. 검사받는 동안에 통증은 더 심해졌다.

검사 종합 결과는 점심시간이 지나서야 알 수 있었다. K병원 조*현 부원장이 주치의가 되어 주었다. 진단은 우축 어깨 '석회화 건염'이다.

다행히 힘줄 손상이나 신경조직 일탈 등은 발견되지 않았다는 소견이다. 검진에 대한 처방은 약물 주사 3회, 석회 격파 치료 3회, 도수치료 반복, 약 처방으로 정리했다.

1차 처방으로 아픈 어깨 상단에 15cm의 주삿바늘 2개로 약물을 투입했다. 내일은 석회 격파 치료와 도수치료 일정을 잡았다. 이제 진단과 치료를 시작했으니 조만간 건강한 육신으로 돌아오리라 확신한다.

올 여름 휴가는 본의 아니게 오피스에서 조용히 육신의 치료와 회복의 시간을 가지게 되었다. 하나뿐인 내 육신아 사랑해 그리고 잘 부탁해.

육신아 잘 부탁해(2)

장마가 마침표를 찍자 불볕더위가 이어진다. 별 쓸모도 없이 몇 계절을 벽에 가만히 붙어있던 물건, 에어컨을 처음 켰다.
육신의 아픔이 고통으로 이어지고 멈춰진 일상의 삶을 살고 있다. 고통을 오롯이 몸으로 견뎌낸다. 병원 처방과 치료를 했고 처방대로 아침저녁으로 부지런히 약을 먹고 있지만 호전될 기미가 보이지 않는다.
밤이 더 고통스럽다. 편히 누울 수가 없으니 제대로 잠을 잘 수가 없다. 고통의 긴 밤을 슬픔과 허무로 되새김질한다.

'석회화 건염' 증상, 말로 표현하지 못할 만큼 끔찍하게 아프다는 지인들의 경험담을 몸소 깨닫고 있다. 아파도 너무 아프다.
아픔이 온몸으로 퍼져 평정심을 유지하기가 어렵고 견디기가 힘이 든다. 낮 시간보다는 밤 시간이 더하다. 밤새 잠을 설친다. 오늘이 고통 시작 9일째, 치료 시작 7일째다. 아직 특별히 호전되지 않고 있다.
내가 할 수 있는 일은 불편한 마음을 다스리고 그저 참고 견디는 것이 전부다. 내 육신의 한 부분인 오른쪽 어깨의 '석회화 건염' 증상이 일상의 삶을 멈추게 했다. 아무것도 할 수가 없다.

아플 때 쉬어 간다고 했는데 지금 현실의 삶은 활동 시간보다는 쉬는 시간이 더 많은데 굳이 아픔을 주어 쉬게 해주지 않아도 되는데.
신께서 왜 하필 이맘때 이런 가혹한 시련을 주고 있는지 알 수가 없다. "우주의 신이시여 왜 이런 시련을 주시니까", 여름 밤 하늘엔 반달만 환하게 비칠 뿐이다.

오늘은 일요일 아침이다. 창문을 꽁꽁 닫고 외부와 단절된 공간에서 상체를 훌러덩 벗은 상태로 벽에서 내려오는 시원한 에어컨 바람을 맞고 있다.

행복의 조건 중 1번에 두어야 하는 것이 건강이라고 늘 생각하지만. 내가 나를 지키지 못했다. 육신에게 늘 감사한 마음을 전하고 있지만 부족함이 많았나 보다.
통증으로 입맛을 잃어 먹는 것도 소홀했는지 육신의 무게도 2kg이나 줄었다.
무게가 줄어드는 것은 좋지 않은 현상인데 지금이 그런 상태인가 보다. 거울에 비친 육신을 들여다보니 아픈 사람같이 보인다. 많이 수척하고 많이 늙어 있다.

무엇보다도 삶의 질이 바닥에 닿았다. '건강을 지키지 못하면 모든 것을 잃는다.'는 진리를 깨닫고 있다. 육신과 마음이 서로 다를 때가 많다. 육신의 고통이 때로는 마음의 상실감과 슬픔으로 다가온다. 약간은 슬프고 속이 많이 상한다. 센티한 마음을 이렇게라도 억지로 풀어야 해서 스마트폰으로 띄엄띄엄 자판을 찍어본다.

내일은 병원 처방에 따른 치료가 예약되어 있다. 2차 충격격파 시술과 도수치료다. '이 또한 지나가려니 조급한 마음을 내려놓으세요.'라는 지인의 응원대로 편안한 마음 평정심을 유지하려고 노력 중이다.

바람 고개

오후의 햇살이 산 능선을 넘어가고 숲에도 큰 나무들의 그림자가 길게 뉘어 있다. 오랜만에 숲길을 걷는다.

육신의 아픔으로 웅크리고 지낸 시간이 너무 길었다. 정지된 일상으로 인한 육신의 무기력과 정신의 허망함이 지속되었다.

분명히 나의 모습은 아닌데 아프니까 어쩔 수 없었다. 훗날 더 늙은 시절에 이런 무기력이 온다면 어쩔까 하는 우려와 염려가 되기도 하지만 미리 경험하고 걱정할 일은 아닌듯한데 괜한 심통과 짜증이 났었다. 행복의 첫 조건이 건강이란 사실을 또 한 번 실감을 한다.

오랜만에 황령산 바람고개에 올라왔다. 오피스에서 행하는 산책길을 대연 힐스테이트푸르지오 단지를 통과하여 경성대학교 후문의 급한 언덕길을 따라 10여 분쯤 걸어서 경성대 야구장을 지나면 황령산 임도 길이 이어진다.

본가 홈에서는 이기대 산책길을 걷고 오피스에서는 황령산 숲길을 걷는다. 오후의 뙤약별의 기세가 당당한 도심의 길은 진땀이 난다.

비로소 숲길에 접어들면 산바람과 숲 그늘이 뙤약볕을 한결 식혀 준다. 도심의 온도보다 숲의 온도는 아마도 3~4℃ 이상 떨어지는 차이가 있지만 산바람이 불어주니 5℃ 이상의 시원함과 상쾌함이 느껴진다.

'온리 걸 사'라는 말이 있다. '오로지 걷는 것만이 살길이다'라는 뜻이란다. 특별한 운동을 별도 하지 않더라도 걷는 것만으로도 육신과 정신에 충분한 에너지와 힐링이 된다는 것이다. 오늘 오랜만에 숲길을 걸으며 일상의 찌꺼기를 걸러내고 있다.

황령산 중에서도 대연동 지역은 바람고개라는 지명으로도 유명 하지만 편백나무 명품 숲으로 더 유명세를 타고 있다. 황령산 편백 숲은 1976년부터 1981년까지 23만평 면적에 19만 그루가 심어져 현재 명품 숲으로 관리 보존되고 있다. 전국에 있는 그 어느 편백 숲에 결코 뒤처지지 않는 숲이다.

금년에 산림청 선정 '대한민국 100대 명품 숲'에 당당히 이름을 올렸다. 우리가 사는 인근에 이러한 숲이 있다는 사실이 자랑이기도 하다.

그 시절 그러한 계획과 실행을 행한 선배 공무원들이 있었기에 가능한 일이었고, 세월이 지난 지금 하나의 역사가 되었다. 역사는 먼 훗날 후대 세대에서 평가를 받는 것이다.

바람고개 마루에 올라 시원한 산바람을 맞으며 테크 평상에 그냥 드러누워 가만히 하늘을 올려본다. 높은 벚나무 가지와 잎 사이로 파란 하늘이 보이고 햇살이 그 사이로 파고든다.

인적이 드문 숲에는 매미소리만 요란하다. 소리로 봐서는 애매미 한 종류다. 아침에는 참매미가 울고 한낮에는 말매미가 울어대는 것처럼 그들도 울기 좋아하는 시간이 있나보다. 쉬지 않고 울어대는 매미들의 소리가 아름답게 들리기보다는 한스러움이 묻어있다. 도심의 큰 나무 꼭대기에서 외롭게 절규하는 말매미의 모습과는 사뭇 다르다.

매미는 7년여 동안을 땅속에 있다가 겨우 어른이 된 그들은 40여 일을 죽도록 울다가 암컷을 만나 종족 번식이라는 사명감을 완수하고 짧은 생을 마감하게 된다. 왠지 매미소리가 아름답기보다는 수컷의 비장함과 처절함이 느껴진다.

바람고개는 이름답게 바람이 모이는 곳이란다. 골짜기의 시원한 바람이 육신의 고장으로 갇혀 있던 내 육신과 정신에 숨통을 열어주고 질서를 찾아 주었다.

선한 영향력

올해의 여름도 입추와 말복을 지나고 광복절 밤을 기점으로 그 열기가 한결 수그려 들었다. 밤의 땅거미 아래 풀밭에는 초저녁부터 이름 모를 풀벌레들의 울음소리가 들리기 시작했다.

한낮 매미들의 우렁찬 소리를 이젠 밤벌레가 이어받았다. 자연은 이렇게 우주의 질서를 따르고 계절은 또 다음의 가을로 이어질 것이다.

삶은 늘 예상대로 되는 법이 없다. 한순간의 행복도 불행도 예상과는 상관없이 지나가더라.

올여름은 나에게도 최악의 여름이 되었다. 피서도 휴가도 여행도 없었다. 계곡물 입수도, 휴양림 캠핑도, 바닷물의 짠내도 없었다. 늘 다니던 리조트도 이용한번 하지 못하고 재산세만 납부했다.

불행은 늘 겹쳐서 오더라. 어깨 석회화 증상으로 육신의 고통이 최악에 이르렀을 때 대상포진이라는 증세도 왔나 보다. 가슴팍과 등짝에 붉은 수포의 흔적들이 붉게 퍼져 있더라. 몸이 왜 이럴까 했는데 대상포진 흔적이라고 했다. 어깨 '석회화 건염'의 고통 때문에 대상포진 그 고통은 별도 느끼지 못했나 보다.

육신의 일탈로 인한 아픈 고통은 치료라는 과정을 거치니 원래대로 회복되고 있지만 그 몰골은 여위고 수척해졌다. 나의 뒷모습을 바라보는 아내가 "영판 노인네 모습이다"라고 놀려대곤 한다.

누구도 피해 갈 수 없는 노년의 모습이 나에게도 오고 있나 보다. 씁쓸하지만 피할 수 없는 것이 현실이다. "어깨 펴고 배에 힘주고 걸음걸이도 씩씩하게 하라"고 아내가 일러준다.

육신의 불편이 마음까지 파고들었다. 한동안 조용하던 마음에 상실감이 훅 몰려왔다. 엎친 데 덮친 격으로 아픔과 슬픔이 함께 닥쳐왔다. 올여름은 나에게 시련의 시기인가 보다. 마음의 평정심이 많이 흔들린다.

아침 시간 KBS 인간극장에 '아기가 되어 돌아온 울 엄마'라는 프로를 4일째 보고 있다. 66세 주인공 옥순 씨가 치매에 걸려 2년 만에 말하는 법도 손 씻는 법도 잊어버렸단다. 멀쩡하던 사람이 어느 날 갑자기 아기가 되었단다. 슬픈 일이다 어쩌다 저랬을까. 지난 힘든 시절을 너무 참고 가슴으로 삭히고 또 삭히다가 그 한계에 달하면 뇌가 감당을 못해 나타나는 현상은 아닐까 하는 생각이 든다.

피할 수 없는 노년이지만, 스스로에게 너무 엄격하게 참고 견디며 자신을 너무 옥조이며 살 필요는 없다는 자성의 마음이 든다. 안 되는 것은 안 된다. 틀린 것은 틀리다. 맞지 않는 것은 내려놓으면 그만이다.

스스로 양심에 거리낌이 없이 당당한 마음을 가지고 나의 삶을 내가 인정하고 돌보고 가꾸어 가야한다.

'행복의 한 쪽 문이 닫히면 다른 쪽 문이 열린다. 그러나 흔히 우리는 닫쳐진 문을 오랫동안 보기 때문에 우리를 위해 열려 있는 문을 보지 못한다.'는 헬렌 켈러의 말처럼 한쪽 문이 닫히면 다른 쪽 문이 열리기 마련이다. 닫혀 있는 문에 연연할 필요는 없다. 열려있는 문에는 또 다른 삶이 이어지게 된다.

산다는 것은 죽을 때까지 멈추지 않고 성장하는 과정이다. 성장의 목적은 바로 우리 삶에서 진정 중요한 것이 무엇이고 진정 행복이 무엇인지를 배우는 데 있다. 삶은 늘 성장해야 한다. 진정한 행복을 위해 마음도 사랑도 인생도 성장해야 한다. 나에게 최악의 시간이 되고 있는 올여름이지만 이 또한 내 삶이다.

나이 듦의 삶에 최소한의 '선한 영향력'을 줄 수 있는 어른으로 살았으면 좋겠다. '선한 영향력'을 줄 수 있는 어른이 되도록 자성하고 노력하기로 다짐해 본다.

한낮의 뜨거운 볕 아래에도 여름을 상징하는 화려한 배롱나무 꽃들과 숭고한 무궁화 꽃들이 더욱 아름답게 보인다.

어머니 돌봄

새벽녘에 거친 숨소리와 가느다란 풀벌레 소리에 눈을 떴다. 피곤한 육신과 정신이 고향 엄니 품에서 고이 잠들었나 보다.

어제 늦은 밤에 엄니 집에 도착해 일상의 지친 육신을 뉘었는데 깊은 잠에 빠졌나 보다. 엄니의 잠꼬대와 거친 숨소리가 들리고 밤부터 울어대던 풀벌레 소리도 아침까지 이어졌다.

엄니 곁에서 새날이 오는 새 아침의 소리를 들었다. 흐린 날씨 탓으로 밝은 아침은 아니지만 새날은 고요하게 왔다. 작은 시골 동네 아침, 인적도 개 짖는 소리도 오늘은 들리지 않는다. 잠시 열어둔 대문을 지나 동네를 돌아본다.

담벼락에 붙어 줄기를 뻗고 있는 호박잎들 사이에 숨은 노란 호박꽃이 정겹다. 이른 시간에 호박벌이 호박꽃에 앉아 있다. 정겨운 고향 집, 엄니께서 계시니 나에게 늘 보금자리고 든든한 마음의 둥지다.

오늘은 어머니 숙제를 해결해 주기로 한 날이다. 며칠 전 광복절에 엄니를 뵙고 왔었다. 평소에 늘 깔끔하게 계시던 당신께서 머리가 길고 산발하여 모습이 처량하게 보였다.
한숨을 쉬시면서 하시는 말씀이 "머리하러 미용실에 가야 되는데 혼자서 도저히 엄두가 나지 않는다."라고 하신다. 어지간하면 혼자서도 자신의 것들을 잘 챙기셨는데 이제는 자신이 없다고 하신다.
이웃에 함께 다니시던 두 분 할미가 최근에 먼 데로 떠나셨기에 같이 갈 동무가 없어 더욱 그렇다고 하셨다. 이번 토요일 청도 장날에 머리 하고 싶다고 하셔서 같이 가기로 약속을 했었다.

아직 어둠이 채 걷히기도 않은 이른 시간에 준비된 소고기국으로 아침 식사를 간단히 했다. 오늘은 청도 오일장이기도 하고 미용실 원장한테 전화를 해놓았으니 일찍 가야 된다고 서두르신다. 7시쯤 시간에 출타를 했다. 먼 산에 자욱한 안개와 까만 하늘이 금세 비를 쏟아낸다.

엄니 단골 미용실은 이미 불이 켜져 있고 싸인볼이 돌고 있다. 엄니께서 당연 1번 손님이라 생각했는데 벌써 다른 할매가 자리를 잡고 있으니 엄니는 2번 손님이 되었다.
청도 시장 입구에 위치한 시골 미용실 3층 새 건물 1층에 있다. 60대 초반의 원장은 수수하게 보이고 실내는 깨끗하고 정갈하다. 엄니 말씀이 청도에서 머리를 제일 잘하는 사람이고, 남편은 얼마 전에 암으로 먼저 떠나고 건물도 자기 것이라고 하신다. 반갑게 맞이해주는 원장 왈 “친구들은 다 어디 보내고 혼자이냐"라고 한다. 엄니 말씀이 “친구 둘이가 먼저 저세상으로 갔다”고 답하신다. 늘 함께 다니던 분들이 떠났으니 머리하러 혼자 오기가 힘들다고 덧붙여 말씀하신다.

엄니께서 머리하는 동안에 장터에 들렀다. 아침보다 비가 더 쏟아진다. 시장 아케이트 지붕에 떨어지는 빗소리가 요란하다.

아케이트 지붕이 없는 난전에 자리 잡은 촌로들은 처마에서 떨어지는 비를 겨우 피해 호박잎, 고구마 줄기, 토란 줄기, 비름나물, 호박, 열무, 마늘 등의 야채를 바닥에 늘어놓고 손님을 기다린다.

5일 동안 장날을 기다려 장만한 물건들을 어찌 할꼬 팔아야 하는데 하늘이 원망스럽다. 낮에는 비가 그친다고 하니 기다리는 수밖에 도리가 없어 보인다.

그동안 엄니께서는 머리 파마를 빡세게 말아 비닐 커버와 분홍색 스카프 수건을 머리에 두르고 계신다.

원장 말이 "엄니 머리는 결이 고와서 한 4시간 이상 굽어야 해요."라고 한다. “그렇지 않아도 병원도 가야 하니 그 시간 되어서 오겠다."고 하고 엄니를 모시고 나왔다.

청도 어르신들의 단골 병원 '마디 종합 정형외과'는 일명 마디병원이라 부른다. 8시쯤 시간에 병원엔 손님들이 여럿 보인다.

엄니 몸뚱이는 성한 데가 없지만 최근엔 조금 덜 아픈 왼쪽 어깨가 아프다고 하신다. X-레이 촬영 결과 원장이 횡격막이 손상되어 아프다고 특별한 치료는 할 수 없고, 주사 맞고 약 처방 해주겠다고 한다.

너무 오랫동안 너무 많이 사용해 뼈고 연골이고 힘줄이고 닳아서 그런 것을 모두가 알고 있다. 안타깝지만 어쩔 수 없다는 사실을 엄니도 자기 몫으로 받아들이시고 계신다. 주사 시술과 약 처방으로 아픈 고통이 사라지기를 바랄 뿐이다.

점심이라도 맛나게 먹자고 청도에서 제일 맛있다고 하는 육회 비빔밥을 먹기로 하고 아무 생각 없이 식당을 찾았다.

청도 기차역 앞에 위치한 '청도 가마솥 국밥'집이다. 언제부턴가 국밥은 어디 보내고 육회 비빔밥으로 맛 집의 유명세를 타고 있다. 식당 안에는 사람들로 가득하다. 순번 72번을 받았고 지금 43번 손님이 입장한다고 했다.

토요일 혼잡한 점심시간 할매를 모시고 맛 집 식사는 무리라는 판단으로 한 마장 인근에 있는 다른 육회 비빔밥으로 대신했다. 식성이 까다로우신 엄니께서 맛나게 드시는 모습을 바라보고 있으니 맘이 짠하다.

오후 정해진 시간에 다시 미용실에 들렀다. 엄니께서 말아 놓은 머리를 정리하는 동안에 장터를 한 바퀴 돌았다.
비 그친 장터엔 아침에 보았던 난전에 촌로들이 보이지 않는 것으로 보아 장만한 물건들이 모두 팔렸구나 하는 생각을 했다.

오늘 하루 어머니의 숙제를 해준 소중한 시간이 나의 기쁨이기도 하다. 엄니의 해맑은 미소와 깔끔한 모습이 더욱 예쁘게 보인다. 돌아오는 길에 구름 속에서 햇살이 보이기 시작했고 시골 매미는 감나무 속에서 우렁차게 울어댄다.

이런 하루

아침 시간인데 동네 가족식당은 손님들로 가득하다. 여느 맛 집 식당의 점심시간 같이 빈자리가 없다. 더운 여름 휴일 아침에 집 밥은 아무래도 부담스럽다. 준비하는 사람도 함께 먹는 사람도 그렇다.

시대가 아무리 변한다 해도 우리의 의식주 중에서 먹는 것이 제일 중요하지 않을까 하는 생각이 든다. 주말에 가족단위로 함께하는 여유로운 아침 식사 자리 그 모습이 정겹고 행복하게 보인다. 나의 가족도 함께하는 이런 하루를 하고 싶지만 아직은 때가 아닌가 보다.

자식들의 일상을 통제하거나 강제하지는 않지만 아비의 부덕한 탓이다. 화목한 가족의 모습을 기대하기는 아직 부족함이 많다. 같이 있는 두 사람이라도 함께 할 수 있도록 나름 신경을 많이 쓰고 산다.

식후 도심 속의 숲 오아시스로 불리는 평화공원, 대연 수목원, UN 공원의 숲길을 산책했다. 아내와 둘이서 이런 산책은 내 생에 처음 있는 일이다. 어색하고 생소하기도 하지만 티 내지 않고 그냥 평소의 일상처럼 걸어 본다. 아직 오전 시간이지만 태양의 열기는 뜨겁다.

UN 공원은 한국전쟁 전사자들이 잠든 성지로 묘지의 잔디와 나무들은 거룩하고 고요하기만 하다. 메타세쿼이아 숲길을 걸으면 명품 숲에 와있는 느낌이다. 참으로 좋은 동네에 살고 있다는 고마움과 감사함이 느껴진다.

한 바퀴 걷는데 땀이 흐른다. 인근 카페에 들어와 아이스 아메리카노를 주문하고 그냥 앉아 있다. 특별히 대화 꺼리는 없지만 나란히 옆에 앉아 사람들 모습을 구경하는 것도 나쁘지 않다.

오늘 가족 모임을 갖기로 했는데 아들은 시간이 어렵다는 전갈이 왔고 딸은 점심때 보자고 했는데 아직 연락이 없다.

그냥 기다릴 뿐인데 1시에 본가 마당에서 만나자는 연락이 왔다고 아내가 전해준다.

자식을 보고 싶어도 볼 수가 없지만 그러려니 하고 산다. 아들을 본지는 아마도 한 계절은 지난듯하고 한동네 이웃에 사는 딸을 본 지도 한참 되었다. 각자의 모습대로 잘 살아 주기를 바랄 뿐이다.

바다가 보이는 용호동 백운포 끝자락에 있는 식당에서 딸과 셋이 불고기와 반주를 겸한 늦은 점심을 했다. 특별한 이야기는 없지만 딸과 함께하는 자리가 너무 오랜만이다. 특별히 어디를 가거나 그 무엇이 없어도 함께하는 순간만으로도 아버지 마음은 좋기만 하다.

최근에 딸이 골프를 배운다고 했다. 오늘 시간도 있고 하니 솜씨 한번 보고 싶다고 했더니 좋다고 한다. 스크린 한 게임 하고 저녁 식사로 뒤풀이 맥주 일 잔 하면 좋겠다고 했다.
딸과 운동을 같이 하다니 꿈같은 일이다. 나이 들어 부녀가 닮아 가는지도 모른다. 술자리도 편하고 함께 있어도 좋다.

우리 동네 랜드 마크인 69층 W스퀘어 아파트는 잘사는 동네로 인식되어 있다. 비싼 아파트니까 그렇다. 지하에 키즈카페 등 다양한 시설들이 가득하지만 평소에 지하에 들어갈 일은 없으니 생소하다. 골프연습장 또한 상당한 규모의 타석과 스크린들이 지하에 있다.
딸은 이곳에서 레슨을 받는다고 했다. 애비하고는 노는 분위기가 다르다. "뱁새가 황새 따라가려다 가랑이 찢어진다"라고 했더니 웃는다.

골프는 반드시 배워야 하지만 생각보다 어려운 운동인데 딸이 입문했다니 축하할 일이다. 잘하면 좋겠지만 잘 할 수 없는 것이 골프 아니던가. 스크린 게임을 함께 진행할 정도의 솜씨를 갖췄다니 놀랍다. 아무래도 젊으니까 배움이 빠르지 않을까 장래가 기대된다. 아내는 "굿-샷“ 소리로 갤러리 역할을 해주었다.

저녁 시간에 장소를 옮겨 딸이 살고 있는 오피스텔 1층 포차에서 19홀 뒤풀이를 함께했다. 밖은 벌써 어둠이 가득하다. 소주 3병을 거뜬히 비우고 딸과의 행복한 시간을 마무리했다.

살다 보니 이런 날도 있구나 하고 아내와 딸에게 함께해 주어 고맙다는 인사를 두 번이나 전했다. 오늘 딸과 함께한 이런 하루가 힘겨운 지금의 내 삶에 참으로 소중한 순간이고 행복과 힘이 되어 주었다.

한글이네 복숭아 밭

매일 아침 식사 후에 잠시 동안 TV 인간극장 시청이 하루의 일상이 되었다. 매주 월요일부터 금요일까지 7시 50분부터 8시 25분까지 KBS 1TV에서 방송되는 다큐 미니시리즈 인간극장이다.

금주는 '한글이네 복숭아 밭'이라는 제목으로 경북 의성의 어느 농부 가족의 이야기가 방송되고 있다.

엊그제 월요일 아침 인간극장을 보다가 깜짝 놀랐다. 정용선이라는 사람이 TV 화면에 크게 나온다. "저 형님이 어째 저기에 나오나"하고 혼자 큰 소리로 놀라움을 표했다.

내 기억으로는 저 형님을 수년 전 어르신 돌아가셨을 때 의성 장례식장에서 뵙고는 오늘 TV에서 처음 보았다.

사는 모습과 환경과 일하는 모습들이 뭐라 표현하지 못할 만큼의 뭉클한 감동이 전해진다. 과거에 사과 농사를 짓는다 했는데 지금은 복숭아 농사를 짓고 있다.

TV 화면을 보면서 주인공인 정용선 형님에게 바로 전화를 걸었다. 수화기를 통해 형의 너털웃음을 기대했는데, 들리는 소리는 여자의 소리가 들린다.
"누구세요"라고 물었더니 큰딸이라고 했다. "왜 아버지 전화를 딸이 받아"라고 하니. 아버지는 일하러 갔다고 한다.
대구 큰삼촌 친구라고 내 소개를 하고 인간극장 보고 전화했다고 덧붙여 축하 인사와 안부를 전했다.

주인공 동생인 정용우는 나의 46년 지기의 절친이다. 친구에게 전화를 했다. 용선이 형 나오는 인간극장을 지금 보고 있다.
"너무 감동적이다. 축하한다."라고 안부와 기쁨을 전했다. 내 친구는 한글이 삼촌 셋 중에 큰 삼촌이다. 친구 정용우를 나는 '용팔'이라 부른다. 고등학교 학업 차 대구 유학시절에 처음 만나 지금까지 변함없이 친구로 지내고 있다. 나는 삭월 셋방에 자취를 했고 친구는 대구가 본가였다.

용팔이 집에는 식구가 많았다. 부모님, 형님 한 분, 누님 두 분, 여동생 둘, 남동생 둘, 4남 4녀에 총 10명의 대가족이다. 오늘의 주인공인 용선 형이 맏이다.
부모님은 청송 시골에서 대구로 상경해 그 당시 칠성시장에서 닭 가게를 운영하셨다. 지금도 기억나는 것은 생닭 털 뽑는 드럼통 모양의 기계가 있었다. 케이지에 보관된 살아있는 닭의 목을 따서 드럼통 기계에 넣으면 털은 사라지고 발

가벗어진 맨살의 닭이 나왔다. 촌놈인 나의 눈에는 신기하기도 했다.

철없던 그 시절 친구 집에서 밥 한 끼 얻어먹는 재미가 솔솔 했다. 성인이 되어가는 청년기에 친구의 가족들과 함께한 그 시간들이 내 삶의 성장에도 영향을 주었다.

세월이 많이 지나버린 지금에 돌아보니 감회가 새롭다. 친구 용팔이의 모습은 화요일 둘째 날 방송에서 보였다. 아마도 복숭아 수확도 돕고 방송 출연도 했나 보다.

방송 출연한다고 두발도 단정하고 얼굴도 뽀송하니 인물이 한결 젊고 좋아 보였다. 정겨운 친구의 모습을 TV에서 보게 될 줄은 꿈에도 몰랐는데 기분이 참 묘했다.

최근 아침 시간이 넉넉하니 집에서 인간극장 스토리를 매일 본다. 출연하는 사람들의 삶이 아름답고 슬프기도 하지만 각자의 사연이 있고 또 대단한 사람들이라는 존중도 있지만, 우리 주변에 살아가는 사람들의 이야기이기도 하다.

용선이 형님 아들의 슬픈 사연을 이제야 알게 되었다. 11년 전 아버지와 함께 복숭아 농사를 짓기로 한 큰 아들은 눈길 교통사고를 당했다. 운전대를 잡은 아버지는 경미한 부상이었지만 아들은 경추 절단에 의한 전신 마비라는 장애를 선고 받았단다.

아들을 저렇게 만든 아빠의 한과 엄마의 슬픔과 가족들의 비통함이 어떠했을까. 아들은 지금 서울에 머물고 있나 보다. 아들의 모습을 화면에서 보고 있는데 내 눈에서 눈물이 떨어진다.

그런 아픔을 이겨내고 열심히 살고 있는 형님 가족이 대단하다는 생각이 든다. 아빠와 함께 농사 지으려고 시골로 들어온 딸 '한글'이 모습이 참으로 예쁘다. 한글날 태어나서 이름이 '한글'이란다. 밝고 씩씩하고 똑똑한 청년 농사꾼이다.

내가 알고 있는 용선이 형님은 정말 대단한 사람이다. 젊은 시절 그의 삶도 순탄치 못했다. 대구에서 살다가 고향도 아닌 '의성' 땅으로 이주했다. 6·25국가 유공자인 아버지를 모셨고 일곱이나 되는 동생들과 늘 함께 했었다. 그를 한마디로 표현하면 의지의 한국인이다

오늘 세 번째 이야기를 봤다. 내일 이야기도 마지막 이야기도 기대되고 궁금해진다. '한글이네 복숭아 밭' 형님의 이야기가 내 삶에도 많은 위안을 준다.

웃어도 하루 울어도 하루

웃어도 하루 울어도 하루. 하늘이 내게 묻는다. '지금 괜찮아, 괜찮아' 하고. 9월의 시간도 벌써 4일째다. 8월은 아픈 육신과 정신의 고통을 털어 내려고 애를 썼는데 털어내지 못한 채로 9월을 살고 있다.

삶은 늘 연속이다. 내 안에 있는 고통도 슬픔도 나와 함께 한다. 아침에 좋아하는 지인의 전화 한 통이 기분을 풀어주고, SBS고릴라 '아름다운 이 아침 김창완입니다'의 진행자 김창완을 보니 그저 웃음이 난다.
주말드라마 '진짜가 나타났다'에 교장선생님의 모습이 떠오른다. 낮 시간에 '최화정 파워 FM' 보는 라디오에서 '골 때리는 그녀들'의 축구 스타 이영진, 정혜인 배우의 모습을 보는 것도 하루의 텐션을 올려 준다.
주변에 일어나는 그저 그런 일들이 때로는 내 삶에도 기쁨을 줄 때가 있다. 세상은 그렇게 늘 공유하며 살아가는 것인가 보다.

주말에 보았던 〈어떤 하루〉 라는 책을 다시 펼쳐본다. 신준모라는 작가가 2014년에 쓴 책이다. 첫 장에 2014. 7. 17과 2015. 1. 1 이라고 쓰여 있다. 2014년 구입해 읽었고, 2015년 새해에 다시 읽은 책이다. 2023. 9월에 또 읽는다.

한 권의 책을 세 번이나 읽는 경우는 많지 않는데 아마도 내가 좋아하는 책 인가보다. '웃어도 하루, 울어도 하루' '당신의 하루는 어떤가요?'라는 부제가 붙여져 있다. 책 속의 애기를 몇 꼭지 옮겨 본다.

「사랑에는 조건이 하나 있다. "무 조 건" 정말로 사랑한다면 있는 그대로의 모습을 사랑하고 아껴주는 것이지 내가 원하는 대로 바꾸려 하면 안 된다.

있는 그대로의 모습을 사랑하고, 아껴주고, 이해해 줘라. 하지만 어쩐지 우리는 사랑을 할 때에도 사랑에 법을 만들어 따지고 있다.

사람의 마음은 간사해서 수많은 좋았던 기억들보다 단 한 번의 서운함에 오해하고 실망하며 틀어지는 경우가 많다.

서운함보다 함께한 좋은 기억을 먼저 떠올릴 줄 아는 현명한 사람이 되어야 한다. 상대를 배려해서 손해 볼 게 없다면 배려해 주는 편이 옳다.

때로는 상대의 마음을 내 마음대로 내 멋대로 단정 지으며 상처 주고 상처받는 것은 아닌지 생각해 보고 반성할 필요가 있다. 사소한 오해에서 비롯된 잘못된 생각 때문에 정말 좋은 사람을 잃을 수도 있다.

내가 아프다고 해서 상대를 아프게 만들 필요는 없다. 복수라는 이름으로 통쾌해 하지 말아야 한다. 악순환의 시작 반복되는 앙갚음의 시작일 뿐이다. 그 사람은 이랬는데 하고 남들과 비교해서는 안 된다. 사랑도 사람도 삶도 비교하는 순간부터 불행해진다.

당신이 나를 이만큼 사랑하니까 나도 꼭 이만큼 사랑하겠다. 한다면 그것은 거래다. 사랑 앞에선 계산하거나 따지지 말고 서로 더 많이 아껴주고 사랑해 주어야 한다.

내가 잘 되기를 진심으로 바라는 사람도 있지만 내 잘 됨을 시기하고 질투하는 사람도 있다. 나 또한 그렇듯 모두가 나를 응원해 줄 수는 없다. 그러니 너무 마음에 담지도 상처받지도 마라.

사람은 원래 모든 문제의 기준을 자기 입장에서 생각하기 때문에 상대에게 잘해준 것과 서운한 것만을 우선적으로 생각하게 된다.

사람 관계에서 쉽게 상처받고 힘들어하는 사람들의 공통점은 어설프게 착하다는 것이다. 다른 사람들에게 착하게 보이려고 애쓰지 마라.

어설프게 착한 사람이 우울증에 잘 걸린단다. '미안합니다. 죄송합니다.' 한마디면 많은 일들이 좋게 끝난다. 혈기왕성함에 모두를 불편하게 만드는 어리석고 부끄러운 행동은 참아주세요.

우리의 삶은 단 한번 뿐, 저마다 자기 삶의 지휘자이다. 내가 어떻게 지휘를 하느냐에 따라 인생이 즐거울 수도, 행복할 수도, 긴장감이 넘칠 수도 있다. 우리 모두는 마에스트로이다. 나의 멋진 무대를 박수치며 응원을 보낸다.」

나에게 세 번째 읽힌 「어떤 하루」 라는 빛바랜 한 권의 책이 9월의 내 삶과 함께해 주었다. 웃어도 하루, 울어도 하루다.

벌 초

아침이 오려면 아직 한참의 시간이 남았다. 아침을 기다리기를 그만 두고 잠든 도시를 빠져 나왔다. 간밤엔 혼잡한 생각이 많아 잠을 설쳤다. 아직 4시도 채 되지 않은 시간이다.
잠든 도시는 고요하기만 하다. 광안대교, 마린시티, 광안리해안, 온천천도 작은 불빛들만 반짝일 뿐 어둠에 잠겨 있다.

고속도로 상공은 낮고 까만 하늘이 내려와 마치 긴 터널 속을 달리는 느낌이다. 청도 휴게소 넓은 주차장 가운데에 주차를 하고 더디게 오는 아침을 좀 더 기다리기로 했다.
오늘은 문중 벌초 행사가 있는 날이다. 새벽에 엄니 집에 들이닥치면 엄니께서 놀랄지도 모르니까.

청도 휴게소 마당에 서서 하늘을 가만히 올려 본다. 어둠에 닫혀 있는 하늘이 지금의 내 삶과도 흡사하다는 생각이 든다. 긴 한숨을 내 쉬고 기지개를 크게 해 본다.

어제 늦은 오후에 보고 싶은 아들이 오랜만에 본가를 찾았다. 아내와 셋이서 짧은 저녁 식사를 소주 일 잔과 함께 했다. 아들과 얼굴을 맞대본지가 얼마만인지 까마득했다.

어떤 마음으로 부모를 보러 왔는지는 묻지 않았지만 그냥 와준 아들이 고맙다고 반가움을 전했다. 깔끔하고 씩씩한 모습이 어른스럽고 인물도 한결 좋아 보인다. 울산 자기 집에서 잘 살고 있고 행복하다는 너스레를 떨지만 그 속은 알 수가 없다.

아들은 그렇게 손님같이 왔다가 나그네처럼 훌쩍 떠났다. 나에게 아들은 늘 아픈 손가락이지만 힘들지 않게 자기의 삶을 잘 살기를 기도해 주는 것 외에는 해줄 것이 없다. 간밤 아들과 만남의 여운이 남아 아침을 기다리는 시간이 길었다.

시골 동네는 고요하기만 하다. 차 지붕에 물방울이 맺히는 것으로 보아 찬 이슬비가 내리고 있나보다. 어둠에 가려 눈에 보이지는 않지만 아마도 물안개와 이슬이 동네와 들판과 저수지를 덮고 있음을 알 수 있다.

아직도 완연한 아침의 모습은 아닌데 엄니께서는 마당을 쓸고 계신다. 기역자로 구부러진 허리를 겨우 고정하고 하루의 아침에 늘 하는 그 일을 오늘도 하고 있다.

"아이고, 나동 띠기 새벽부터 마당에 비질하네."라고 했더니 "누구인교"하며 나를 쳐다본다. "아들 이지요"했더니 "일찍 왔네"하고 반갑게 맞이해 주신다. 엄니 당신께서 계시니 엄니 집이다. 언제가 엄니께서 살았던 집으로 불리게 되겠지만, 엄니의 집에 주인인 엄니께서 오래오래 계셔주시길 바랄 뿐이다.

오늘 아침 엄니 집에는 큰 아들과 둘째 아들이 각 각 다른 방에서 자고 있나보다. 엄니께서 한마디 던진다. "밥 해줄 사람은 아무도 안 왔는데 니도 혼자 왔제"라고 탄식 섞인 말씀을 토로하신다. 엄니 며느리가 넷이나 되는데 오늘도 그 누구도 오지 않았구나.
우리 집 옥이가 같이 가겠다고 했는데, 괜찮다고 했던 것이 급 후회로 뒤통수를 때린다. 엄니의 탄식에 아무 말도 할 수가 없었다. 이집 며느리들은 시어머니와 시댁을 분명 싫어하는 모양이다. "어쩌겠소. 아들 복은 많은 엄니께서 며느리 복은 없나보네" 하고 위안을 전했지만 섭섭한 엄니 마음을 달래지는 못했다.

이른 아침에 엄니의 훌륭한 4형제는 아침전투를 치르듯 아버지 산소와 어머니 가묘가 만들어진 넓지 않는 산소 전체의 풀들을 깔끔히 제거했다. 아버지께 간단한 술잔을 치고 "아버지 추석에 또 보입시다."라고 절하고 인사를 전했다.

문중벌초 또한 연례행사 이지만 참석자는 거의 정해져 있다. 참석자는 해마다 줄어든다. 참석하는 그들이 실제 문중의 주인임을 알지만 때로는 주인 안하고 싶을 때가 많다.

가까운 일족 16명이 참석하여 6대조 아래 조상들 산소만 벌초를 했다.

몇 해 전부터 집안 어르신들 결정으로 문중 묘사행사를 없애고 벌초 때 묘사를 겸해 간단한 몇 가지 음식과 잔을 올려 묘사를 대신하고 있다.

조상님을 모시는 일도 이제는 많이 퇴색되는 현상이 씁쓸하다. 우리와 나의 뿌리인 조상님을 잘 모셔야 하는데 그 뿌리가 흔들리고 있다.

무궁화 꽃이 질 때

도심의 정원에 무궁화 꽃이 여름 내내 피었다 지기를 반복하더니 이젠 지는 꽃이 더 많아 보인다. 아침에 피었다가 저녁에 지고 마는 꽃, 하루밖에 피우지 못하는 꽃, 끝없이 무궁 무진 핀다고 '무궁화'라고 한다.

여름 내내 무더위 속에서 끝없이 피고~지고, 지고~피고를 거듭했던 그 꽃의 숫자가 줄어들기 시작할 때가 되면 한 계절도 지나간다. 그 때가 본격적인 가을의 시작이다.

아침에 핸드폰 카톡 울림이 예사롭지 않았다. 아침부터 어떤 이들이 안부를 이렇게 전하는지 들여다보니 이승국 생일 축하 메시지다.

9월 15일 오늘이 이승국 생일인가 보다. 나도 모르는 내 생일 이라니. 실제는 음력 9월 15인데 그렇게 알려 졌나 보다. 축하해 주시는 소중한 분들께 "기억해 주시고 축하해 주시어 감사합니다."라고 답신을 보냈다. 세월이 벌써 9월 중순이다

한 계절을 보내고 또 다른 한 계절이 오고 있다. 잠시 내 마음이 전하는 소리에 귀 기울려 본다.
늘 비슷한 일상 이지만 매 순간은 아프고, 슬프고, 기쁘고, 안타까운 순간들이었다.
삶은 연결되어 있으니 아픔도 슬픔도 기쁨도 안타까움도 모두 행복 이라는 프레임 속에 있는 듯하다. 삶은 결국 Are You Happy? / Yes 또는 No 이니까.

삶은 과거로 살 수 없고 미래로도 살수가 없다. 삶은 언제나 현재를 살아갈 뿐이다. 과거에 갇히고 미래에 편승해 소중한 현재의 삶을 잃지 말아야 한다.
바꿀 수 없는 과거는 청산하거나 그렇지 못하면 적당히 타협해야 한다. '트라우마'라는 정신 장애 그 또한 과거의 것이다. 버리던가, 놓던가, 지우지 못하면 과거에 잡혀 현재가 괴롭다. 삶은 현실과 적당히 타협하면서 현재를 살아야 한다.

사람의 관계도 그렇다. 삶은 곧 관계다. 단절하고 오롯이 홀로 살수도 있다. 자신의 삶에 지나치게 엄격한 기준과 프레임을 가질 필요는 없다.
굳이 기준에 얽매여 스스로의 삶을 옥죌 필요는 더욱 없다. 때로는 멈춤이 필요하고, 때로는 조금 느슨하게 삶의 속도를 조절할 필요가 있다.

세상의 속도에 맞추기 위해 허급지급 내 영혼을 소비할 필요는 없다. 나는 내 속도대로 살아가면 되는 것이다.

선택 또한 그렇다. 순간의 감정에 치우쳐 섣부른 판단으로 잘못된 선택을 하지 않도록 해야 한다. 잘된 선택도 잘못된 선택도 모두가 내 몫이지만 늙어가는 이제는 결코 잘못된 선택은 하지 않아야 한다. 신중치 못한 잘못된 선택으로 평생 후회할 일이 없도록 하자는 진중함이다.

현재의 선택이 미래에 후회할지 안 할지는 모르는 일이지만 최소한 마음이 시키는 본질(속마음)대로 행 한다면 결코 후회할 일은 없을 것으로 믿는다.

아름다운 자연의 꽃들도 계절도 모두 제 속도를 지킨다. 너무 빠를 필요도 너무 늦을 필요도 없다. 내가 지금 사는 속도가 내 삶의 속도다. 나는 오늘 내 속도대로 잘 살고 있는가.

가을비 내리는 오늘 아침 소중한 분들이 축하해준 꽉 채워진 62년의 삶속에서 가장 젊은 오늘 내 마음이 나에게 말하는 소리를 이렇게 써본다.

어떤 부고장

더디게 오는 아침을 뜬눈으로 맞이하는 날이 많아지고 있다. 열린 창문으로 들어오는 간들바람이 참 좋다. 나이 들면 새벽잠이 없어진다고 했는데 나도 이제 그런 때가 되었나 보다.
가을이 제법 성숙되어 간다. 가을이 성숙되어 익으면 겨울이 되는 걸까. 성장과 성숙이 멈춰진 시니어에게도 또 한 계절의 가을은 오고 그 가을이 익으면 겨울이라는 죽음에 다다르는 것인가.

인간의 삶, 그 끝에는 죽음이 있다. 죽음에 남겨지는 것은 '부고장'이다. 한 인간의 삶이 끝났다는 사실을 알리는 부고장, 반가운 부고장도 있을까 만은 부고장에는 슬픔과 안타까움만 있을 뿐이다.

최근 죽은 자의 이름으로 보낸 부고장을 맞았다. 갑작스러운 죽음으로 인해 죽은 자가 산자 일 때 쓰던 핸드폰에 들어 있는 번호나 정보로 죽은 자의 부고장을 보냈구나 하고 깜짝 놀랐다.
산자의 갑작스러운 죽음을 이렇게 알릴 수 있어 그래도 다행이라는 생각이다.

나는 산자의 이름으로 보낸 부고장의 본인을 자세히는 알지 못한다. 공직 은퇴자 그룹에서 동아리 활동을 잠시 함께 했던 사람이다.
친해질 겨를도 없이 두 달쯤 전에 동아리 회비 만 내고 한 달 후에 다시 보자고 했는데 부고장으로 보게 되었다. 동아리 단톡방에 올려진 부고장에 '삼가 고인의 명복을 빕니다'라는 댓글로 마음을 전했다.

그의 삶의 나이가 67세라는 사실을 부고장에서 알았다. 가끔 허리 아프다는 소리를 했을 뿐 춤을 추는데 무리가 없을 정도로 신체도 건강해 보였는데. 또 한 사람이 이렇게 떠나는 것을 보고 있다.
장례를 치르고 유족이 다시 죽은 자의 핸드폰으로 동아리 단톡방에 글을 남겼다. "큰 슬픔에 찬 저희 가족에게 따뜻한 위로가 되었습니다." 라고.

어떤 부고장이 전해주는 의미가 오늘 아침 나에게 여러 가지 생각을 하게 만든다. 남의 일 같지가 않다. 누구나 삶은 끝나게 되어있다.

조금 일찍 가는 것과 조금 늦게 가는 것의 차이일 뿐이다. 언제 떠날지 모르는 삶이기에 지금의 순간이 더 귀하고 함께하는 사람들이 더 소중하다.

지금의 시쯤에 미래의 특별한 큰 계획 따위는 소용없는 일이다. 참고 버티어 나중에 행복해 지려는 생각은 바람직하지 않다.

'나이 들수록 삶을 간결하고 단순하게 살라'는 선인들의 말씀이 되새겨진다. 하고 싶은 것들 참고 나중을 기약하며 기다리고 그럴 때가 아니다. 하고픈 것 있으면 지금 해야 한다. 지금 현재를 늘 삶의 중심에 두어야 한다.

쓸데없는 일들에 마음 졸이고 화내고 오지 않을 사람을 기다릴 필요도 없다. 일상을 함께 할 수 있는 사람이 최고의 사람이고 최고의 관계다.

나에게 올해 가을은 북서풍을 타고 왔다. 찬바람이 옆구리를 스치고 지나갈 때 쓸쓸하고 외롭지 않는 사람이 어디 있겠나. 정호승 시인의 시 구절처럼 '외로우니까 사람이다. 살아간다는 것은 외로움을 견디는 일이다'

나는 가을보다는 봄을 좋아한다. 매일 오는 아침이 더디게 오는 까닭이 가을을 타고 있나 보다. 더디게 오는 아침이 어떤 이에게는 찰나에 올 수도 있다.

생업을 위해 새벽을 여는 첫 차 타는 사람들이 욕할지도 모르지만 나에게 지금의 아침은 더디게 온다.

「더디게 오는 아침」(FUN-fun)

오늘도 아침이 더디게 오네.
가만히 눈 감고 누워 있는데
열려진 창문 사이로
까슬한 바람이 들어오네.
혹시나 그대도 더디게 오는 아침을
기다리고 있는 건지
살짝 들여 다 보았네.

어머니 둥지

조용하고 깜깜한 공간, 이곳이 어디인지 잠시 잊었다. 벽시계 초침 소리만 차칵~차칵 들릴 뿐이다. 간밤에 그냥 쉬이 잠들어 곤한 숙면을 했나 보다.

낯설지 않는 공간에 어머니의 숨소리도 들린다. 누운 자리에서 손을 더듬어 핸드폰을 찾아 켜보니 5시 10분이다. 오랜만에 어머니 둥지에서 아들은 편안하게 푹 잤지만 사방은 아직 깜깜하다.

고요함 속에서 어머니의 고르지 못한 숨소리가 일정한 선율로 들리다가 폭풍우처럼 거칠게도 들린다. 그러더니 절규하듯 낮은 비명소리로 "아~ 다리야~아~아~" 소리를 두어 번 내고는 또 고요한 숨소리로 돌아온다. 하룻밤에 늘 있는 반복적인 어머니의 숨소리다.

최근 나에게도 잠자는 루틴에 문제가 생겼다. 평소 잠들 시간에 잠에 들면 새벽 2시 반쯤부터 수면 상태가 고르지 못하고 더디게 오는 아침을 기다릴 때가 많다. 간밤에 어머니의 숨소리를 자장가 삼아 저녁 9시 뉴스가 끝나기도 전에 잠이 들었으니 완전한 숙면을 했다.
늘 그렇듯이 어머니와 함께하는 밤이 참 좋다. 어머니의 고르지 못한 숨소리도 잠꼬대도 이제는 익숙하다. 어머니는 침대에서 아들은 방바닥에서 잔다.
날이 갑자기 추워졌다. 노친네 춥다고 하시면서 전기장판에 스위치를 켜신다. 다가올 이번 겨울은 추워서 어찌 지낼까 벌써부터 염려하신다.

여름 내내 풀 뽑고 돌봐 키워온 들깨 수확을 했나 보다. 마당에 정갈한 들깨 알곡을 가을볕에 말리고 계신다. 추석 연휴 끝자락에 들깨 타작하러 오라는 어머니의 청을 들어주지 못해 미안한 마음이 컸다.
어머니께 "들깨 타작은 누구랑 했소."하고 물었더니 "너 큰 형이랑 둘이 했지"라고 하신다. 그랬구나. 큰아들과 둘이서 힘들게 했나 보다.
어머니 텃밭 한 모퉁이에서 생산된 들깨 알곡은 4말 정도라고 하셨다. 수확량이 적던 많던 개의치 않고 땅이 주는 대로 받아들이는 농부의 숭고한 마음을 여전히 간직하고 계신다.

올해 반시감 농사도 예년에 비해 수확량이 현저히 줄 것으로 예상된다. 여름 내내 많은 비가 왔으니 병해도 심하고 환경이 좋지 않은 까닭이란다.

농사란 농부의 땀과 정성과 노력도 중요하지만 하늘의 뜻, 자연의 현상이 무엇보다도 중요하다는 사실을 농부는 알고 있다. 올해도 감 수확 계절이 다가왔다. 본격적인 수확은 아마도 다음 주쯤 10월 중순경부터 시작될 예정이다.

생산자가 수확하고 싶어도 수집상과 가공 처의 적기 선정 등 모종의 묵시적 협의에 의해 수확 시기와 가격이 결정된다. 올해는 감 수확 현장에 나의 부실한 노동력을 조금이라도 보태려고 한다.

어머니 집 담장 밑과 축담에 줄지어 놓인 토종벌도 여름을 지나고 가을쯤부터 벌들의 반란이 시작되었다 하신다. 큰 형님께서 애지중지 정성을 다해 돌보는 토종벌이다.

여름까지 40여 통의 벌을 키워, 순도 100% 토종꿀 3말 분량을 채취했는데 여름을 지나고 벌들의 상태가 급속히 불량하단다. 바이러스 감염이 원인으로 벌들이 죽어가고 탈출을 시도하여 지금은 절반 정도까지 숫자가 줄었다.

벌 농사도 자연의 힘에 순응하지만 농부는 또 걱정이다. 어머니 집 대문에 '토종꿀 팝니다'라는 푯말이 붙어있다. 순도 100% 토종꿀 1되 1.8리터에 20만 원이란다. 작년에 25~30만 원 받았는데 올해는 값을 내렸다.

고요한 시골마을에 하루의 새날이 이제 밝아 온다. 오늘 하루는 어머니 돌봄을 하려 한다. 아침은 아들 표 소고깃국을 끓여 먹고, 오전에 읍내 안과에 어머니 불편한 눈을 진료 받고, 가을 옷 한 벌 사드리고, 점심은 청도에서 제일 맛 집이라는 육회 비빔밥을 드시는 것으로 일정을 잡았다.

아들이 계획한 일정에 어머니께서 협조해 주실 것을 기대하며 소고깃국 끓일 무와 파를 썰고 있다.

낯선 데이트

여느 날 익숙하게 했던 것처럼 어머니는 아침 마당을 쓸고 계시고 아들은 가스레인지에 스위치를 켰다. 어제 청도 하나로 마트에서 사 온 양지 고기로 어머니 표 소고깃국을 끓이려 한다.

냄비에 참기름을 두르고 양지 고기 한 팩과 썰어둔 무를 넣고 고춧가루 한 큰 숟갈 첨가해 고기와 무가 익을 때까지 볶는다. 고기와 무가 익어갈 때 집 간장 적당량을 넣고 볶기를 마무리하고 물을 적당량 부어 다시 끓인다. 적당히 끓는 상태에서 대파를 넣고 대파가 익을 때 마늘과 집 간장으로 간을 맞추어 낮은 불에 끓였다.

그 시간 어머니께서는 마당 쓸기를 마무리하고 머리를 감고 계신다. 아마도 당신께서 오늘 아들과 외출을 위한 준비를 미리하고 계시는 것으로 보인다.

"아들이 정성껏 끓인 국 맛이 어때요"하고 물었더니 맛을 보시고 당신 방식대로 물을 한 사발 더 붓고 미원을 살짝 첨가한다. 시골 분들은 아직도 약간의 MSG를 습관적으로 선호하시는 것을 어쩌겠는가.

소고깃국으로 단출한 아침상을 차려, 母子는 마주 보고 맛난 식사를 했다. 어머니께 한마디 물었다.
"제일 맛있는 음식이 어떤 음식인지 알아요." 했더니 답이 없으시다. "남이 해주는 음식이 제일 맛있는 음식이래요." 하고 한바탕 웃었다. 당신께서 혼자 밥해 먹는 일이 하기 싫고 힘들다고 토로하신다.
그새 시골 마당에도 가을볕이 가득 들어왔다. 어머니께서는 오늘도 들깨 알곡을 마당에 펼치면서 "볕이 참 좋구나" 하신다. 가을마당에 알곡 늘린 모습이 참으로 정겹다.

오늘은 온종일 어머니 돌봄을 계획했으니 준비하시라고 했더니 "그냥 집에 있자"라고 초를 치신다.
당신의 육신이 불편하시니 어디 다니는 걸 매우 힘들고 꺼려하신다. 하지만 이젠 그런 속임수에 넘어가지 않는다. 당신의 마음은 그렇지 않으면서 한번 떠보는 것을 알기 때문이다. 어머니는 외출을 준비하고, 아들은 당신과 낯선 데이트를 준비한다.

첫 번째 데이트 코스는 안과병원이다. 추석 명절 전부터 눈에 초 같은 눈곱이 계속 나왔지만 참고 계셨다.

청도에 유일하게 한곳뿐인 삼성안과다. 어머니 눈 상태와 시력은 매우 양호하시다. 백내장 수술과 라식시술을 받고 10년 동안 안과를 찾지 않았다고 원장이 말해준다.
진료 결과는 눈 질병은 아니고, 환절기 계절 알레르기로 검진되며 약 처방하면 된다는 소견이다. 다행한 일이다. 약국에서 안약 앰풀 2개를 샀다.

두 번째 데이트 코스는 의류점이다. 아들이 어머니를 모시고 옷을 사러 들어가니 주인이 "할매요, 아들이 옷 사주려 하나 보내"라고 한마디 던진다.
당신께서는 누가 사주는 비싼 옷도 별로 마음에 들어 하지 않는 스타일이시다. 눈치 빠른 가게 주인이 골라주는 대로 스웨터, 얇은 조끼, 조금 두꺼운 조끼, 3벌을 입어보고 바로 결정했다.
어머니는 분홍색을 좋아하시나 보다. 옷 세벌에 4만 5천 원을 지불했지만 45만 원의 가치로 느껴졌다. "날 추워지면 두터운 패딩 사러 옵시다." 하고 옷 가게를 나왔다.

다음은 오늘의 마지막 데이트 코스인 육회비빔밥 식당이다. 청도에서 제일 유명한 맛 집, 청도 기차역 맞은편에 위치한 상호는 '청도 가마솥 국밥'인데 국밥은 팔지 않는 집이다.
국밥집 사이드 메뉴 육회비빔밥이 유명세를 타고 현재 굉장한 부를 쌓고 있다. 15,000원 가격, 주말에는 최소 30분

이상 기다리는 집, 평일 11시 영업개시 시간에 입장했는데 자리가 겨우 한 테이블이 남아있다.

식당에는 의자 좌식 탁자 4개, 방석 탁자 6개, 총 10개 탁자에 40자리다. 식당보다 대기실이 더 큰 집, 벽면은 온통 방문자 인증 글씨로 채워져 있다.
母子는 11시에 입장했는데 25분 뒤에야 비로소 밥상을 받았다. 어머니는 과거 몇 번 오신 집이고 아들은 두 번째 방문에 입장은 처음이다.
그릇에 상추를 밑 깔고 양념 육회를 올렸다. 식감이 참 좋다. 어머니께서도 잘 드신다. 식사하시면서 당신께서 한 말씀하신다. 예전에 이웃 어른한테 한 그릇 얻어먹은 것을 갚으려 했는데 그 영감님이 먼저 떠나버렸다고 하신다.
어제 함께 식사하던 동네 이웃분이 한 분, 두 분 세상을 먼저 떠나는 안타까움을 말씀하신다. 슬프지만 현실의 실상은 피할 수 없는 일이다.

10월의 오늘하루 짧은 시간 어머니와 처음 해본 낯선 데이트이지만 참 잘했구나 하는 뿌듯한 마음이 든다. 다가오는 겨울에는 길고 낯설지 않는 데이트를 해야겠다고 마음을 정했다.

가을은 물들이며 온다

가을은, 그냥 오지 않습니다/ 세상 모든 것들을 물들이며 옵니다/ 그래서 가을이 오면 모두가 닮아 갑니다/ 내 삶을 물들이던 당신, 당신은 지금 어디쯤 오고 있나요?/ 벌써부터 나, 당신에게 이렇게 물들어 있는데/ 당신과 이렇게 닮아 있는데. (이정하 / 가을 中에서)

하루의 해가 많이 짧아졌고 아침 공기도 쌀쌀하다. 오늘 아침 기온이 13.7도라고 뉴스에서 알려준다. 아내와 함께 맞이했던 아침을 며칠째 홀로 맞이하고 있다.

더디게 오는 아침을 보려고 베란다 큰 유리문을 열었더니 찬 공기가 확 들어온다. 밤중에 가는 비가 왔나 보다. 아스팔트 도로가 까맣게 보인다.

가을비는 할아버지 수염 아래에서도 피한다고 했듯이 그렇게 살짝 내렸나 보다. 가는 가을비로 인해 아침 기온도 뚝 떨어졌나보다.

우주의 시간과 자연의 섭리는 또 한 계절을 이만치 밀어내고 있다. 아침 산책길에 만나는 왕벚나무는 벌써 옷을 거의 벗고 있다.

피라칸사스의 붉은 열매는 영글어 가고 금목서의 향기도 코코 샤넬의 탑노트 처럼 짧은 향기만 풍길 뿐 긴 은은함은 사라진듯하다.

돌담 속에서 오늘 아침에 꽃피운 '꽃향유'의 라벤더 향이 베이스 노트의 향기를 퍼뜨린다. 지금의 내가 참으로 아름다운 계절의 정점에 서 있다는 것에 잠시 행복을 맛보았다.

"요즘 어떻게 살아요."라는 일상의 안부 같은 질문을 늘 받는다. 마땅히 한마디로 말하기 어려워 "늘 하던 대로 하고 살지요."하고 답을 한다.

늘 하던 대로 사는 것, 특별한 일은 없지만 무탈하게 잘 살고 있다는 매우 긍정의 표현이다. 늘 하던 대로 '잘 먹고, 잘 자고, 잘 배설하고' 그러면 되는데 삶은 언제나 내 생각대로는 되지 않는다.

'저 사람 고생 많이 했고 이제 좀 살만하더니.' ~ ~라고 여운을 남긴다. '살만하고 행복할 만하면 꼭 훼방꾼이 생기더라.'는 부정적 뜻이다.

살만하니 병이 나고 가족이 불행해지고 해서 고통을 받더니 금세 또 죽기도 한다. 아직은 때가 아닌데 할 일도 즐길

거리도 많이 남아 있는데.

 죽고 사는 문제는 분명 인간의 의지는 아닌 듯하다. 신의 뜻이기에 운명으로 받아들인다. 아직은 때가 아닌데 잘 지키고 약간은 누려도 되는데, "신이시여 조금만 누리게 해 주소서"라고 간절한 기도 소리가 들린다.
 일생을 살면서 이제 겨우 행복이라는 것을 처음으로 알아가고 있는데~ "아직은 때가 아니요"라고 울부짖음을~

이정하 시인의 시 구절처럼 「내 삶을 물들이던 당신/ 벌써부터 당신에게 이렇게 물들어 있는데/ 당신과 이렇게 닮아 있는데~」 올가을은 내 삶을 물들인 당신과 함께 보내고 싶었는데, 훼방꾼이 행복을 앗아갔다.

멈춰진 시간

1주일째 늘 하던 일을 오늘 아침에도 해야 했다. 오늘은 모처럼 흰 와이셔츠에 재킷을 차려입고 머리 손질도 깔끔히 했다. 평소에 신지 않던 구두를 신었다. 정신이 혼탁할 때 육신의 모습을 단아하게 하면 무너진 정신에 힘이 되더라는 내 방식을 미신처럼 따랐다.

어제와 같이 오늘 아침도 병원 중환자실 앞에 서 있다. 벌써 한주를 꼬박 이렇게 해 왔다. 환자를 만나는 것이 아니라 아침에 회진하고 나오는 담당 주치의 선생님과 면담을 해야 하기 때문이다.

밤새 경과와 지금 상태는 어떤지 내가 묻고 주치의 선생이 답변해 주는 짧은 만남이다. 첫 마디는 늘 "나쁘지 않아요." 말로 시작한다. 천만다행으로 환부의 진행이 멈췄고 상태도 괜찮다고, 위험한 고비는 넘겼다고 말해준다.

출혈로 인한 환부의 손상은 불가피 하겠지만 집중적 약물 치료를 하고 있으니 조급하게 생각하지 말고 지켜보자는 것이 주치의 소견이다.

지금 내가 할 수 있는 것은 주치의 선생님 면담과 매일 낮 12시쯤에 환자 점심 먹는 시간에 20분 정도 면회하는 것이 전부다. 또 하나는 더 나빠지지 않게 회복되기를 기도하는 것. 어쩔 수 없는 일이지만 내가 지금 할 수 있는 일에만 최선을 다하고 있을 뿐이다.

내 시간이 멈춰진 때는 정확히 2023년 10월 16일 월요일 16시 쯤 부터다. 아내 옥이의 멈춰진 시간에 내 시간도 멈추었다. 갑자기 2대의 휴대폰을 가지고 다닌다. 멈춰진 사람의 전화기에 혹시나 소식 전할게 있나 싶어서다.

그날 아침도 늘 하듯이 출타하면서 아내에게 "오늘 하루도 즐겁게 잘 삽시다"라고 인사를 전했다. 겨우 한나절이 지날 때쯤 평소에 하지 않던 전화 한 통 “많이 아파요. 머리도 아프고 속이 울렁거리고 구토하고 그래요”라는 아내의 힘겨운 목소리에 뭔가 잘못되고 있구나 하는 예감이 확 들었다.
평소 같으면 “왜 그래요. 뭘 잘못 먹었소. 약 먹고 누워 있어 봐요”하고. “상태를 보고 힘들면 다시 전화해요” 정도로 했을 텐데. 그랬더라면 아내를 영원히 잃었거나 의식 풀린 불구자가 될지도 모를 아찔한 순간을 내 靈感이 막아 주었다.

내가 본가에 도착 했을 때 아내는 의식이 풀린 상태로 욕실바닥에 주저앉아 변기통에 얼굴을 박고 구토를 하고 있었다. 첫 눈에 상태가 예사롭지 않구나 하는 섬뜩함과 머리에 문제가 있구나 하는 직감이 번쩍 들었다. 119에 전화 할 겨를도 없이 축 처진 아내를 부축해 차 뒷자리에 눕혀 병원으로 달렸다.

평소 가족 병원으로 애용하는 '좋은 강안병원' 응급실은 신속하게 환자를 접수해 주었다.

병원 응급실 의료진에게 아내를 인계하고 긴 한숨을 쉬었다. 짧은 시간에 이루어진 그 행위가 내가 할 수 있는 역할이었다.

응급실은 의료진의 일사불란한 조치가 있었고 뇌 CT촬영 결과 소규모 뇌출혈이 진행되었다는 진단을 내렸다. 소위 뇌졸중이다. 뇌혈관이 막히면 뇌경색이고 터지면 뇌출혈인데 아내는 뇌혈관이 터진 것이다.

조금만 늦었다면, 출혈부위가 조금만 더 진행 되었다면 치명적일 수도 있다는 의료진의 소견이다. 골든타임에 의료진에게 인계되어 정말 다행이었다.

나는 그제도 어제도 오늘도 긴 기다림의 시간을 보내고 아내는 중환자실에 홀로 힘겨운 치료의 시간을 견디고 있다.

황금 같은 가을날 내 일상의 모든 일정들은 취소되었고 내 시간도 아내의 시간도 멈춰져 있다.

SUB - ICU

어쩌다 전속 간병인이 되었다. 요양보호사가 해야 할 일이기에 당연한지도 모른다. 현직 은퇴 후 그해 여름에 요양보호사 자격을 취득했다.
사회복지사이기도 하니 낯설지 않았다. 지금의 멈춰진 시간을 오롯이 아내와 둘이서 함께하고 있으니 불행인지 다행인지는 알 수 없지만 운명이라 생각하고 받아들이고 있다.

아내와 밤낮을 함께한 시간이 오늘 3일째다. 이 또한 내 생애 처음 있는 일이다. 앞으로 몇 날을 더 함께 해야 할지는 알 수가 없지만 이것이 지금 내가 할 수 있는 최선의 길이다.

J병원의 10층, 앞쪽은 광안리 비치 view로 광안리 바다와 광안대교가 훤히 내려다보이고, 뒤쪽으로는 금련산 마운틴 view가 눈앞에 펼쳐지는 명소다. 비치 view뷰나 마운틴 view를 감상하고 즐길 여력과 여유는 없지만 돌아서면 시야

에 들어오니 그저 바라만 볼 뿐이다.

아내는 ICU(Intensive care unit 중환자실)에 꼬박 8일을 홀로 견디어 내었다. 의식은 흩트려지지 않았지만 절대 안정과 집중치료가 필요하다는 담당 주치의 소견을 따라야 했다. ICU는 위급 환자의 최종 선택지다. 生과 死를 넘나드는 사람들 사이에서 그렇게 긴 시간을 참고 이겨낸 것이다.

스스로 의지가 강하다고 자부했지만 그 순간은 얼마나 고통스러웠을까. 그 시간 내가 할 수 있었던 것은 담당 주치의로부터 상태와 경과를 전달받고 체크하는 일과, 매일 12시에 잠시 대면해 위안을 전하는 것과 쾌유를 기도하는 일이 전부였다.

시간이 해결해 준다는 우주의 진리를 따른 것일까. 천만다행으로 ICU의 절대 안정과 치료의 결과가 나쁘지 않았다. 상태가 호전되고 모든 것이 정상으로 돌아갈 준비가 되었다는 주치의 판단에 따라 지금 이곳 SUB-ICU(준 중환자실)로 옮겨왔다.

SUB-ICU는 밀착 간병인이 24시간 상주해야 한다. 별도 간병인을 둘 수도 없으니 오리지널 요양보호사인 내가 그의 간병을 하고 있다.

오늘이 바깥세상과의 격리 3일째다. 현재 상태는 상당히 호전되고 있으며 지속 치료와 회복에 노력과 시간을 투자하자는 주치의 소견을 믿고 따르기로 했다.

링거 수액 주머니를 여러 개 달고 아직 온전치 않은 걸음이지만 병동 복도를 지그재그로 걷고 삼시 세끼 식사를 함께한다. 아내는 환자용 침대에서 나는 병실 바닥의 비좁은 보모자용 간이 깔판에서 쪼그리고 있지만 아프고 불편한 그를 돌봐야 하는 책임과 의무를 다해야 하기에 불편 따위는 생각하지 않기로 했다.

그가 지금의 아픔을 빨리 극복하고 이겨내어 예전의 모습으로 돌아올 수 있도록 최선을 다할 뿐이다.

이곳 SUB-ICU는 4개의 병상이 있다. 이틀째 되는 날에 한 분이, 오늘 오전에 두 분이 또 다른 병실로 옮겼다. 오후 시간인 지금 두 분의 뉴 페이스 환자가 빈 병상에 들어왔다.

상태가 중증인 것으로 보아 오늘 밤에도 힘들고 긴 밤이 될 것으로 우려된다.

아내도 내일 쯤 조용한 병실로 옮겨 약물과 재활치료를 정상적으로 받게 되기를 기대한다.

밤의 시간을 넘어서

간방에도 SUB-ICU는 밤새 고통을 이겨내는 할머니 한분 때문에 환자도 간병 보호자도 제대로 잠을 잘 수도 안정을 취할 수도 없었다.

오전 해가 금련산 마루를 감싸는 시간에서야 비로소 고요함을 찾았다. 환자도 보호자도 밤의 시계를 거꾸로 돌려 잠과 휴식에 빠져있다. 이곳은 바깥세상과는 완전히 단절되었고 밤과 낮의 구분은 아무런 의미가 없는 곳이다.

어제 늦은 오후부터 아내의 상태가 불편해 보인다. 식사도 제대로 못하고 속이 불편하단다. 보호자의 상태도 환자의 기분에 따라 다르게 된다.

과다한 약물 투입으로 인한 증상이 아닐까 하는 내 생각이다. 저녁 식사도 힘겨워 보였는데 다행히 잠자는 모습은 평화롭게 보였다. 이웃 환자의 비명소리에도 불구하고 잠을 자는 것은, 그도 정상적이지 않음을 알 수 있다.

아침 내내 그냥 널브러져 있다. 아침 식사가 도착되어 식사를 하려는데 불편한 속이 폭발했나 보다. 심한 구토를 한다. 두통과 구토는 위험신호인데 의료진이 신속한 대처를 해준다. 병원에 있으니 위험과 걱정은 덜 한듯하다. 때마침 회진 온 주치의 선생님을 만났으니 안심이 된다.

주치의 말이 "회복기 환자의 상태는 유동적이어서 좋아졌다, 나빠 졌다를 여러 번 반복하게 됩니다."고 말한다. 치료되는 과정에서 나타나는 호 불 현상이면 다행한 일이다. 환자의 상태에 따라 보호자도 웃고 운다.

산만했던 아침 시간이 지나고 곤히 잠든 그를 가만히 들여다보고 있다. 어쩌다가 이리 되었을까. 사주에 명줄이 길다고 했으니 그리 일찍 떠날 위인은 아닌데. 어제는 이런 말을 했다. "회복되면 잘 걸을 수 있을까. 운전은 할 수 있을까" 라고. 잘 걷고 운전할 정도면 아무런 문제가 없을 텐데 "당연히 그리될 것이다. 잘 걷고 운전도 하고 댄스도 해야제"하고 대꾸해 주었다.

시작도 하지 못한 아침식사 식판 2개를 고스란히 퇴식구에 반납했다. 그는 오늘 중에는 정상적인 식사는 어렵게 보인다.

절대 안정을 해야 한다는 주치의 처방과 달리 병실의 실상은 그렇지 못했다. 중환자실도 준 중환자실도 위급 환자들의 삶의 몸부림과 울부짖음으로 소란스럽기는 마찬가지였다.
아내의 온전치 못한 증상에 절대 안정을 취하기는 불가했지만 빈 병실이 없으니 어쩔 도리가 없다.

오늘에서야 비로소 병실이 연결되어 보호자 전담 간병 조건으로 2인실로 자리를 옮겼다. 며칠 밤낮 고통의 시간을 견뎌냈고 이제는 정상적인 심리 안정과 재활치료가 이루어지기를 기대 한다.
새로 만난 2인실, 오늘 밤은 다른 환자가 오지 않을듯하니 그의 안정과 나의 휴식이 보장될 것이다.

새날의 일출

원하지 않는 일출을 매일 보고 있다. 눈이 부셔 똑바로 쳐다보기 어려울 정도의 그 찬란한 태양을~
지구의 자전으로 또 하루의 새날을 맞이한다. 지구는 그저 자전축을 중심으로 서쪽에서 동쪽으로 시속 1,660km 속도로 한 바퀴 돌아왔을 뿐인데, 24시간이 지나고 하루를 과거와 현재로 매일 바꾸어 준다.

오롯이 아픈 사람을 케어하는 것 외에는 아무것도 생각할 수 없는 공간에 갇혀 있지만 어느새 적응이 되어간다.
아침에 일출을 맞이하고 간단한 스트레칭과 휠체어를 밀었다. CT촬영 등 처방에 따른 몇 가지 검사를 진행했고 잠시 조불기도 했다.

아내는 오늘도 상태가 좋지 않다. 어제부터 금식 처방으로 아무것도 먹지 못하고 있다. 먹는 약 조차도 모두 주사약으로 대체되었다.
긴 하루를 또 그와 함께 견뎌 내었다. 오후부터 상태가 조금 나아지고 있다. 저녁 식사 때 아무 맛도 없는 희멀건한 미음 몇 숟갈을 입에 밀어 넣는 모습이 안쓰럽게 보였다.

짧은 가을 해는 금세 서쪽으로 넘어가고 동쪽에서 오는 밤 그림자는 광안대교를 덮었다. 창틀에 기대어 광안리 밤바다를 가만히 내려다본다.

광안대교에 조명 불빛이 검은 바다를 배경으로 선명하게 펼쳐져 있다. 대교 주탑에는 별빛, 초록빛, 주황빛, 파란빛이 번갈아 반짝인다. 상판과 하판에는 갈고리 모양의 은은한 불빛이 가지런히 수를 놓았고, 그 사이로 자동차 불빛들이 분주하게 움직인다.

바다 위에는 작은 요트들이 자기 위치를 표시하는 불빛을 내고, 하늘엔 금성을 동무 삼은 보름달의 큰 달빛이 환하게 바다를 비춰주고 있다.

'아름다움은 보는 사람의 눈 속에 있다'라고 했는데 지금의 내 눈에는 아름다움 따위는 사치에 불과하다는 생각이 든다.

잠시 고요를 깨고 아내의 낮은 숨소리가 들린다. 뒤척이던 육신이 이제 겨우 안정을 취했나 보다.

자기 나름으로 인고의 시간을 견뎌낸다고 얼마나 힘이 들까. 침대 바닥에 세워진 수액 고리에 주렁주렁 매달린 각종 약물들이 가는 호스를 타고 그의 몸속으로 쉬지 않고 들어간다. 그 약물들이 그의 심장을 통해 아픈 곳에 잘 전달되어 약발을 발휘해 주기를 이 밤도 간절히 기도한다.

어제는 생일 이었어

월요일 오전 시간임에도 병동은 고요하다. 간호사도, 조무사도, 요양보호사도 자기 역할에 최선을 다하는 모습이다. 전담 간병 보호자도 그들의 일상처럼 환자 쾌유를 위한 간병에 전념할 뿐이다.

어제 하듯이 오늘도 강열한 태양의 일출을 맞이했고 "식사 나왔습니다."라는 외침에 아침식사를 했다. 환자와 동행해 불편한 걸음 연습을 잠시 했는데 온전치 못하지만 많이 좋아지고 있는 모습이 고맙기도 하다.

회진 오던 주치의 선생은 오늘 바쁜지 병실에 올라오지 않고 환자를 자기 진료실로 부른다. 며칠 구토 증상으로 금식하고 고생했는데 특별히 나쁜 곳은 없다는 소견을 전해준다. 회복되는 단계에서 나타나는 현상이라고 크게 염려하지 마시라고 하고는 이제 재활 치료를 병행하자는 말로 짧은 면담을 정리했다.

아내를 면회 오는 형제들과 친한 분들이 던지는 말 "이만

하기 천만다행이다. 상태가 좋아 보이네, 곧 회복될 테니 너무 걱정하지 마라"는 격려의 말들이 좋게만 들리지 않는다.
과연 그의 모습이 예전같이 아무 일 없었던 사람처럼 돌아올 수 있을까.
그의 회복이 나의 행복과 우리 삶에 큰 비중을 차지할 텐데. 모든 것을 감당해야 하는 내 입장에선 긴장을 늦출 수 없다. 부정적인 생각을 하지 않으려고 애쓰고 있지만, 그의 모습이 예전같이 보이지 않으니 내 마음이 슬프다.
주치의 선생 말대로 조급하게 생각하지 말고 최선을 다하자는 말이 지금의 내 마음에 큰 힘이 되고 있다.

어제는 내 생애 62번째 생일이었다. 어느 대중가요의 노랫말처럼 '그날은 생일 이었어 지나고 보니 나이를 먹는다는 것 나쁜 것만은 아니야 세월의 멋을 흉내 낼 순 없잖아 멋있게 늙는 건 더욱더 어려워~ 아름다운 것도 즐겁다는 것도 모두가 욕심일 뿐 다만 혼자서 살아가는 게 두려워서 하는 얘기~'

62번째 생일을 병실에서 보냈다. 올해는 모처럼 우리 가족이 함께 아버지 생파를 하기로 약속했는데 그 약속은 지켜지지 못했다. 아내는 또 제 탓이라고 미안함과 서운함을 토로한다.
가족 누구 하나에게 문제가 생기면 모두가 힘들고 불행해진다. 가족 구성원 들이 각자 자기 위치에서 자기 역할만 제대로 한다면 아무런 문제가 없다고 늘 주창하지만 뜻대로 되지 않았다.

나이를 먹고 늙어 가는 것은 누구나 피할 수 없는 진리다. 멋있게 늙고 아름다운 노후를 즐겁게 잘 살다가 아프지 않고 가는 것이 인생 최고의 로망이다. 그렇게 되도록 삶을 잘 돌보며 살아야겠다는 생각을 다시 하게 된다.

걷는 자유로움

11월 첫날이다. 10월에서 11월로 숫자가 바뀐 것 이외는 모든 것이 그대로다. 11월이지만 실내는 아직 덥고 답답하다.

닫힌 공간이라서 그런지 바깥공기가 더운 건지 마음이 답답한 건지는 모르지만 환자도 간병 보호자도 불편에 짜증이 더 해진다.

6차선 수영로를 달리는 자동차와 오토바이들의 질주 소리도 밤이 깊을수록 굉음으로 밤의 고통을 길게 늘려준다.

오래 머무를 이유가 없는 이곳이지만 내 의지와는 상관없이 그의 회복 상태에 따라 결정될 것이지만 굳이 서두를 이유는 없다.

현재 내 삶의 일상이 되어버린 이 공간은 환자 수만큼 간병인들이 상주한다. 1대 1로 밀착 집중 간병을 요하는 병동이다.

보호자가 상주할 수 없다면 별도 전속 간병인을 두어야 한다. 1일 간병비용이 15만 원 수준이란다. 중환자실에서 준중환자실로 집중치료실을 거쳐 일반 간호 간병 통합 병동으로 단계적 입원 치료를 한단다.
이곳에 머무는 환자의 상태가 그만큼 정상에서 멀다는 것이다.

걷지 못하는 분들이 대부분이다. 일어서지 못하니 걷지 못한다. 휠체어에 실려 누군가의 도움을 받아야 비로소 움직일 수 있다.
아마도 아프기 전에는 걸을 수 없다는 것을 상상도 해본 적이 없었을 텐데. 사람의 운명은 이렇게 한 치 앞을 알 수 없다.
이곳에 오신 대부분의 사람들은 누워서 응급으로 들어와 치료와 치유를 통해 일어서고 다시 걷기를 회복하고 퇴원이라는 과정을 거친다.
수술하고 치료하면 되는 외상적 환자는 일정 기간 병원 신세를 지면 일상으로 돌아가게 되지만 아내의 상태는 외상적 환자와는 차이가 있으니 회복과 후유증을 조심스럽게 살펴본다.

걷기와 회복을 위해 재활치료라는 과정을 거치고 있다. 걷는 자유를 찾기 위해 부단히 노력하는 환자들의 한 발짝 한 발짝 힘겹게 떼어놓는 걸음걸이는 사람이 태어나 처음으로 걸음마를 배우는 동작과 흡사하다.
처음으로 돌아가서 처음과 같이 시작하는 걸음마 연습이 걷기의 시작이 되었다.

재활 치료실에 그를 입장시키고 기다림을 하고 있다. 유리문에 이런 문구가 붙어있다.
'봄처럼 마음은 따뜻하게, 여름처럼 사랑은 뜨겁게, 가을처럼 베풂은 풍성하게, 겨울처럼 미움은 얼어붙게'
좋은 글을 나는 이렇게 바꾸어 보았다. '마음은 봄처럼 따뜻하게, 사랑은 여름처럼 뜨겁게, 베풂은 가을처럼 풍성하게, 미움은 겨울처럼 얼어붙게'

아내의 한 시간 반 정도의 재활 치료 시간에 나는 짧은 스트레칭을 하고 피로한 육신을 딱딱한 의자에 앉아 지금의 순간을 이렇게 쓰고 있다.

잠깐의 짬

오늘도 변함없이 바다에서 솟아 오른 듯 보이는 붉고 이글거리는 태양을 본다. 병실 바닥에 서서 유리창 너머로 하루의 일출을 맞이하며 기도 한다.
"오늘 아침을 함께 할 수 있음에 감사드립니다. 하루하루 탈 없이 이렇게 해를 맞이할 수 있기를 바랍니다. 건강을 회복하여 온전한 일상의 삶을 살 수 있기를 기도 합니다"

아침에 정상인처럼 식사를 하고 아내는 뇌 검사를 위한 CT촬영을 했다. 복도에서 걸음마 연습을 하고 계단 오르내리기를 처음 시도했다. 예상보다 걷는 속도도 균형도 나쁘지 않다.
친절한 간호사 선생님은 오늘 아침도 그의 오른쪽 팔뚝에 삽입된 수액 주사 전용 튜브에 수액 호스 두 개를 연결한다.

간단한 아침 일과를 정리하고 내 육신을 따뜻한 물로 씻었다. 그와 나의 속옷과 양말, 타월 2장을 손빨래해서 창틀에 널었다. 과거 어느 날 학교 기숙사 생활을 연상케 한다.

아침에 바다에서 맞이한 해는 어느새 광안대교 주 탑 꼭대기를 지나 중천까지 올라왔다. 아내는 간식으로 청포도 몇 알과 밀감 몇 조각을 먹고는 잠시 잠 속에 빠져있다.
나는 핸드폰 고릴라를 켜고 '아름다운 이 아침 김창완입니다'를 들으며 오랜만에 편안한 잠깐의 짬을 가져본다.

평온한 잠깐의 짬은 오래 가지 못했다. 주치의 선생이 아무런 예고도 연락도 없이 병실에 불쑥 들어왔다. 어제만 해도 환자를 자기 진료실로 호출해서 면담을 했는데 오늘은 여유가 있나 보다.
아내의 상태와 회복 속도가 예상보다 좋다고 했다. 재활과 운동만 잘하면 더 큰 문제는 없을 것이라고 덧붙였다. 19일째 집중치료 결과를 신뢰하듯 자신감을 보여준다. 참으로 고맙고 감사하다는 말로 내 마음을 전했다.

옆에 있던 아내는 천진난만한 얼굴로 "선생님, 집에는 언제 갈 수 있나요"라고 묻는다. 주치의 선생이 평소 하는 말이 있다.
"병원에 그저 휴양하러 온 게 아니잖아요." 그렇다 병원에 쉬려고 온 게 아니다. 생명이 왔다 갔다 하는 심각한 상황을 겨우 넘겼는데 환자나 보호자는 그 위급했던 순간을 대수롭지 않게 생각하는 경향이 있다고 경고한다.

이제 겨우 한고비를 넘겼을 뿐인데 조금 좋아졌다고 해서 조급하게 속단하지 말고 치료와 원인을 규명하는 검사를 진행하고 그 결과에 따라 다음 결정을 해야 한다고 일축해 말한다. 나는 주치의 Y선생께 당연하다는 공감을 표하고 처방에 따르겠다고 고개를 숙였다.

환자도 간병 보호자도 갇혀있는 병원 생활이 힘겹게 느껴진다는 것은 환자 상태가 그만큼 좋아졌다는 긍정의 뜻이다.

요 며칠 날씨가 너무 더워서 모두가 덥다는 아우성인데 에어컨은 켜주지 않고 있다. 열어둔 작은 창문으로 자동차의 굉음소리만 짜증스럽게 들어온다.

오늘 밤도 광안대교는 소리 없는 불빛만 반짝인다. 아마도 내일 펼쳐질 불꽃축제를 준비하느라 지금 시간에도 보이지 않는 손들이 분주히 움직이고 있을 것이다.

아내는 이런 주변의 소리와 모습을 잊은 채 초저녁부터 깊은 잠에 빠져있다. 오늘 하루도 환자의 몸으로 하루를 견딘다고 얼마나 힘이 들었을까.

약간의 거친 숨소리와 신음 소리도 간간이 들리지만 그래도 잠을 잘 자는 것이 고맙기도 하다. 이 밤도 그의 육신에 회복의 에너지가 가득 채워지기를 기도한다.

가을밤의 불꽃놀이

소란스러운 저녁 시간이다. 차량의 경적 소리와 호루라기 소리가 끊임없이 들린다. 군중의 대 이동이 시작되었다.

밤 8시 광안리 불꽃 축제를 즐기려는 사람들이 이른 오후부터 붐비기 시작하더니 저녁녘에는 그 숫자가 늘어만 간다.

지하철 2호선에서 광안리 바다가 가장 가까운 곳은 이곳 금련산역 1번, 3번 출구다. 10층 창문을 통해 바다 쪽으로 이동하는 군중의 모습을 내려다보고 있다.

'부산 불꽃 축제'는 2005년 제1회 시작으로 금년이 제18회째다. 2020년과 2021년에는 코로나 사태로 축제를 열지 못하기도 했다.

현직에 있을 때는 안전요원으로 늘 축제 현장에서 불꽃과 함께 했는데 그 시절이 그립기도 하다.

어둠이 한참 지난 고요한 밤바다 폭풍전야다. 숨죽여 기다린다. 8시에 광안리 밤바다에 대망의 '부산 불꽃 축제' 축포가 터질 것이다.

병원 코앞이 광안리 바다니 올해 불꽃 축제는 본의 아니게 병실에서 관람할 수 있는 호사를 누리게 되었다. 분명 감사할 일은 아니지만 이 또한 지금의 내 현실인 것은 부인할 수 없다.

저녁때 평소 형님같이 지내는 지인 두 내외분께서 아내 면회를 오셨다. 며칠 전에는 큰 형님 격인 Y형님 내외분께서 걱정이 너무 된다고 하시며, 손수 조리한 호박죽과 크고 싱싱한 간장 전복 20마리쯤을 가져 오셨다. 너무나 고맙고 감사해서 눈물이 났다.

피를 나눈 형제보다 더 고맙다고 인사를 전했다. 슬픔과 힘겨운 순간을 이겨내고 있는 아내와 나의 마음에 큰 힘과 위안이 되었다.

병실 면회가 어려우니 불가피하게 아픈 자가 1층까지 면회받으러 내려와야 했다. 병원 로비에서 3가족 내외 6명이 만났다. 지난주에 내 고향 청도에 반시감 따러 가기로 약속했었는데 아내의 아픔으로 모든 것이 멈춰 버렸다.

그의 상태가 그래도 호전되어 사람 구실을 하고 있으니 이렇게 만남도 가능한 일이다. 잠시 웃는 얼굴을 보여준 그를 병실에 쉬도록 해두고 지인 내외분들과 식사를 함께했다.

아픈 환자보다도 간병인이 더 힘들다고 소고기 집에서 맛난 식사를 대접 받았다. 잘 먹고 건강해야 간병을 잘할 수 있다고 격려를 해주신다.

아픈 사람을 생각하면 고기가 목구멍에 걸려야 하는데 술술 잘 넘어간다. 소고기 먹고 힘내어 간병 잘 해서 예전의 그 모습으로 돌려놓겠다는 약속을 하고 짧은 식사를 마무리 했다.

병동과 병실에는 환자와 간병 보호자 들이 일찌감치 불꽃 축제 관람 모드를 잡고 있다. 아내의 병실은 오션뷰로 자기 침대에 누워 관람이 가능하지만, 명당자리를 함께 아픔을 견디고 있는 85세 어르신에게 내어주고 그는 창가에 서서 불꽃을 관람하고 있다.

해마다 보는 불꽃축제라서 특별한 신선함은 없지만 불꽃 그 자체를 즐기면 된다.

오늘 밤 불꽃이 아픈 이들에게 위안과 회복에 큰 힘이 되어 주기를 바래본다. 불안과 아픔과 고통을 불꽃에 담아 하늘로 훨훨 날려 보냈으면 좋겠다.

슬기로운 병원 생활

아침이 채 되기도 전인 5시 30분쯤부터 병실 전등 스위치가 켜진다. 아직도 어둡고 잠을 청해야 하는 시간인데 병원은 그들이 정해진 룰대로 움직인다.

매일 하는 일이 있다. 아픈 자의 체중 측정을 오늘도 정해진 시간에 해댄다. 체중 측정을 담당하는 조무사 선생님은 무거운 좌식 의자 체중계를 병실 안으로 밀고 들어온다.

그들은 그들의 역할을 다하고 있을 뿐이다. 이어서 간호사 선생이 들어와 누워있는 환자의 체온과 혈압을 재고 팔뚝을 찔러 혈액을 빼간다.

간밤에 강풍 예보가 있더니 빗물과 바람이 밤새 창틀을 때리고 흔든다. 마치 중간 정도 크기의 가을 태풍이 온듯하다. 바다가 보이는 뚫린 공간이라 바람의 충격이 크게 전해지나 보다.

이곳의 밤은 고통이다. 야간 경계근무를 서는 병사같이 그렇게 지키고 견뎌낸다. 세 여인과 한 방에서 생활하고 있으니 나도 여자가 되어가나 보다. 환자와 간병인은 남녀 구별이 없는듯하다.

같은 병실에서 치료받는 85세 모친은 간밤에도 수차례 구토를 했다. 새벽 5시가 지난 지금도 마른 구토를 계속 해댄다. 얼마나 고통 스러울까. 주말 내내 식사도 제대로 못하고 계속 구토 증상을 이어 가는데도 의사 선생의 처방은 없다.

환자의 고통을 주치의는 알지 못하고 있으니 환자가 병원과 의사를 잘못 만났구나 하는 아쉬움이 든다.

아내의 주치의 Y선생은 밤이나 휴일에도 환자의 동태를 간호사로부터 보고를 받고 수시로 원격 처방을 내려 환자와 늘 소통하는 것과는 너무 비교가 된다.

85세 모친도 간병하는 57세 딸도 힘들고 안타깝게 보인다. 아픈 자가 의사를 잘 만나는 것도 큰 복인데 아쉬움이 크다.

85세 어르신이 내 어머니였다면 주말에 담당 주치의를 호출했을 것이다.

침대에서 편히 잠들었던 아내도 바람 소리에 놀랐다며 새벽 3시쯤 깨어 아침까지 뜬눈이라고 했다. 바람 소리가 무섭고 불안하다고 응석을 부린다.

나는 바닥 깔판에 병원 이불을 반으로 접어 절반은 깔개로 절반은 덮는 이불로 쓰고 있다. 영판 노숙자의 모습이지만 여러 날 적응이 되어 이불 속이 포근하고 따뜻하다.

작은 깔판에서 몸부림을 치거나 자세를 바꾸면 바닥으로 밀려날 수도 있으니 자세를 바로하고 잔다.

간밤 그 풍파 속에서도 내 육신의 피로를 내 감성이 보듬어 주었다. 잡다한 꿈을 꾼듯한데 친구와 골프 치는 꿈이 기억이 난다. 이 가을에 좋아하는 취미에 대한 아쉬움이 컸었나 보다.

아침이 왔건만 바람 소리는 여전히 창틀을 흔들고 있다. 오늘 아침은 신비롭고 아름다운 일출을 기대하기는 어렵다. 한 주가 시작되는 월요일이고 아내의 슬기로운 환자생활 22일째, 나의 슬기로운 간병 생활 14일째다.

들락날락하다

오전에 재활치료가 있어 늦은 점심을 했다. 냉장고에 아내의 형제들이 해다준 물김치, 호박볶음, 미나리 무침 반찬들도 오늘 모두 깨끗이 먹어 치웠다.

반찬을 다 먹기 전에 집에 가야지 했는데 반찬통은 비워졌지만 우리는 아직도 이곳에 머물러 있다. 같은 방에서 치료받던 85세 모친은 간병하던 딸과 함께 오늘 오전에 떠났다.

아내와 내가 처음 들어왔을 때처럼 한쪽 침대는 지금 비어 있다. 점심 식사 후 오후 재활치료 일정이 있어 그를 재활센터에 데려다주고 병원 뒷길을 한 바퀴 걷고 텅 빈 병실에 들어와 그의 침대에 널브러져 누워 오랜만에 잠시 망중한을 보낸다.

아침에 가는 비가 잠시 내린 탓인지 바깥공기는 쌀쌀하게 느껴졌다. 어제가 입동이니까 이제 겨울의 시작 인가보다.

겨울이 오기 전에 늦은 가을이라도 잠시 만났으면 하는 마음인데 그럴 수 있기를 기대한다.

아내는 어젠 초음파 검사를 오늘 아침엔 마지막 뇌 CT를 촬영했고 오전에 주치의 면담을 했다.

주치의 Y선생은 자기 예상대로 치료가 잘 진행되었고 결과도 좋다고 힘과 용기를 준다. 주말에 상태를 지켜보고 다음 주 월요일에 혈액검사 후 퇴원하면 되겠다고 했다.

참으로 고맙고 감사한 일이다. 퇴원해서 재활 치료와 운동 열심히 하고 약 잘 먹으면 큰 탈 없이 회복될 것이라는 소견도 덧붙여 전해준다.

치료받는 환자와 치료하는 의사의 마음이 온전히 일치했는지도 모른다. 소위 의사를 잘 만난 것이 큰 복이고 행운이라는 생각에는 변함이 없다.

주치의 Y선생은 환자와 보호자의 마음을 편하게 해준다. 환자의 상태와 소리를 적극 치료에 반영해 주는 친절함과 섬세함이 타고난 사람으로 보인다. 현재로선 주치의 처방과 치료에 만족과 감사를 드린다.

병실에는 들락날락 대는 사람들이 많다. 아픈 사람도 치료하는 의사도 간호사도 요양보호사도 모두가 환자를 위해 들락날락한다.

환자가 존재하기 때문에 모두가 있는 것이다. 아프지 말아야 하는데 그게 어찌 마음대로 되겠는가.

우리가 머물고 있는 10병동에는 62세인 아내가 제일 막내

벌이고 93세 어르신이 제일 연장자다. 중환자 병동이라서 더욱 그렇다. 대다수 아픈 이들이 누워서 들어왔다가 걸어 다니는 모습이 신기하기도 하지만 아픈 자의 서러움은 그들의 몫이다.

어쩌다 보니 병동에 머무는 환자 중에 그가 제일 오래 머무는 신세가 되었다. 병실에서 장수할 필요는 없는데 그의 상태가 그만큼 위중했다는 반증이기도 하다.

주말만 지나면 퇴원할 수 있으니 그래도 얼마나 다행한 일인가. 그는 하루빨리 집에 가고 싶어 하지만 나는 퇴원이 마냥 좋지만은 않다.

병원이 그래도 안전하고 아직은 치료와 재활의 시간이 필요해 보이지만 그래도 퇴원은 해야 한다. 환자도 간병인도 많이 지쳐있다.

아내와 둘이서 이렇게 긴 날들을 꼼짝하지 않고 24시간 함께한 것에 나 자신이 놀랍기도 하다. 이런 것이 운명인가 하는 생각이 든다.

퇴원 후에 있을 일들은 또 그때 가서 생각하기로 하고 오늘 밤엔 뉴 페이스의 환자가 입실하지 않기를 바라며 오랜만에 조용한 휴식과 편한 잠을 기대해 본다. 오늘 밤에도 간호사는 여전히 병실을 수도 없이 들락날락할 것이다.

병상의 마지막 만찬

아침부터 쌀쌀한 바람이 들어오더니 낮 시간까지도 바깥공기는 차게 느껴진다. 아침에 사료 같은 식사를 하고 잠시 1층 카페 '미소'에서 뜨거운 아메리카노커피를 마시고 오전 내내 병실에서 그냥 조용히 휴식을 했다.

주말이라 병동도 조용하고 한적하다. 그저께부터 비어있는 옆자리는 아직 비어있으니 더욱 고요하다. 아마도 우리가 퇴원할 때까지는 뉴 페이스 환자가 입실하지 않을 것으로 보인다.

오후가 시작되는 정오쯤에 점심을 먹었다. 며칠 동안 추가 반찬 없이 오롯이 주어지는 식사만을 했다. 식사 한 끼에 비용이 얼마 인지는 정확히 알지 못하지만 밥보다는 반찬이 부실하다.

아내는 살기 위해서는 먹어야 한다며 맛은 없지만 최대한 많이 먹으려고 의지를 보인다. 잘 먹고 잘 자고 치료 잘 받은 결과 이렇게 회복이 되고 있으니 얼마나 감사한 일인가.

오후에도 걷기와 계단 오르기를 한참 했다. 오늘은 찾아오는 이도 치료 일정도 없으니 순전히 아내와 둘이서 무거운 시간을 보낸다.

이래도 하루 저래도 하루의 시간은 가고 있다. 어딘가 모를 매우 비현실적인 기분이 들지만 이 또한 지금의 내 삶이다.

1011호 병실에서의 마지막 만찬을 했다. 아내가 한마디 던진다. "다시는 병원에서 밥 먹는 일은 없어야 할 텐데"라고, 내가 답하기를 "당연 그래야지. 다음에는 병원에 와도 밥 먹을 일은 없을 것이여" 했더니 "왜"라고 되묻는다. "그땐 아마도 병원 영안실에 올 거니 밥 먹을 일은 없지 않겠소."하고 한바탕 웃었다.

오늘 저녁 식사가 이곳의 마지막 만찬이다. 기념이라도 하려고 사진 한 컷을 찍었다. 삼시 세끼 정해진 시간에 배달되는 식사에 익숙해져 있는데 퇴원 후 아픈 자의 식사 돌봄이 은근히 걱정이 된다. 당분간 음식 조리와 밥상 차림은 내 몫이 될 것이다.

지난 10월 16일 축 늘어진 육신과 정신이 혼미한 아내를 J병원 응급실 의료진에게 인계한지 벌써 28일이라는 시간이 지났다.

정신적 상처와 말할 수 없는 신체적 장애가 우려되었는데 천만다행으로 멀쩡한 사지를 유지하고 걸어서 퇴원할 수 있으니 얼마나 다행한 일인가.

의료진의 신속한 처치가 신의 한 수가 되었고, 아내의 강한 정신적 의지력이 신의 한 수를 도왔다. 그의 아픔을 자기 일처럼 걱정해 준 형제들과 지인님들의 기도 또한 그를 지키는 큰 힘이 되어 주었다. 옥이가 그래도 세상을 선하게 잘 살았구나 하는 생각을 하게 된다.

주치의 소견대로 조그만 늦었다면 매우 위험했다는 그 말이 아직도 내 머릿속에 생생하게 남아있다.

아내의 삶을 담보로 28일째 그의 곁을 지키고 있는 나 자신에게도 위안을 보낸다. 아내의 시간이 멈춰진 때 내 시간도 함께 멈춰진 것이다.

어쩌면 이제 시작인지도 모른다. 회복되는 기간이 어떨지는 모르지만 머지않아 예전의 모습으로 돌아갈 수 있을 것이라는 믿음은 가지고 있다.

내일 퇴원한다고 기뻐하는 아내의 마음처럼 내 마음은 그렇게 기쁘지는 않다. 큰 산을 무사히 넘었다는 안도감은 있지만 아직 하산길이 많이 남았다는 염려도 된다.

내일 퇴원하면 첫 번째 식사는 맛있고 영양가 있는 소고기 식사를 하자고 아내를 위로해 주었다.

슬기로운 주부 생활

제 역할을 다한 나무 잎들이 떠나기가 못내 아쉬워 아름다운 색으로 인사를 대신하기도 전에 반짝 추위가 폭풍처럼 몰려왔다. 올해 들어 제일 추운 날 새벽녘에 첫눈이 왔다. 하얀 눈이 아스팔트 마당을 덮고 차 지붕에도 동백나무 잎에도 단풍나무 줄기에도 살포시 내렸다. 올해 첫 눈을 이렇게 보았다.

기모 바지에 패딩을 입고 목도리를 해야 하는 때가 되었다. 날이 차다. 나는 겨울보다는 여름이 좋다. 없는 살림에 겨울나기가 힘이 들었나 보다.

멈춰있던 시간이 조금씩 한 발자국을 떼고 있다. 한 달 간의 병원 생활을 견디어 내고 본가에 들어와 간병이 아닌 전업주부 생활을 1주째 하고 있다.

나는 현재를 '슬기로운 주부생활'이라고 이름 지었다. 시니어 시절에 처음 하게 된 슬기로운 주부생활 분명히 내 팔자는 아닌듯하지만 운명이라 생각하고 받아들이고 있다.
아픈 그를 돌보는 일이 지금의 내 삶에 넘버원이 되었다. 병원 돌봄보다는 본가에서의 돌봄이 그래도 몇 곱절 다행 아닌가.

아침은 뭐해 먹지 또 점심은 저녁은 뭘 해 먹지 삼시 세끼 먹는 일이 제일 큰일이 되었다. 점심 식사 돌봄 후에는 걷기 운동을 매일 2시간 정도 함께 한다.
날마다 조금씩 좋아지고 있으니 걷는 거리도 시간도 조금씩 늘리고 있다. 메트로시티 동네 길을 걷기도 하고 용호만 섭자리 해안 길을 걷기도 한다.
어제는 평화공원, 대연 수목원, 유엔묘지공원까지 장거리 걷기를 했다. 아픈 사람 운동 돌봄이 나에게도 운동이 되었나 보다. 아침에 일어나니 다리가 묵직하다.

시간은 현재인데 미래를 살고 있는 느낌이다. 어르신을 폄하하는 것은 아니지만, 그와 내가 손잡고 걷는 모습이 영판 팔순 어르신의 모습이다.
영감 할망이 손잡고 서로 아픈 쪽을 위하며 걷는 모습과 흡사하다. 언제 올지 모를 미래의 삶을 미리 살아보는 연습은 할 필요가 없는데 어쩌다 이렇게 되었다.

아픈 사람과 매일 주야로 함께하고, 삼시 세끼 밥을 먹고,

집안 살림을 하고, 손잡고 산책을 하는 일이 지금의 나에게 슬기로운 주부 생활이 되었다. 슬기로운 주부 생활이 길지 않기를 바랄 뿐이다.

오늘은 일요일 아침 인지라 조식은 아주 오랜만에 가족식당에서 하얀 솥 밥과 뜨거운 순두부를 먹었다.

아내는 프랑스 자수를 놓아 직접 만든 예쁜 약통에 담아온 여러 알의 약을 입속에 집어넣고는 따뜻한 숭늉을 삼킨다.

아직도 아침 시간인데 동네 '풀 바셋'이라는 카페는 일찍 문을 열었다. 카페 2층 안락한 자리에 앉아 그는 라떼를 나는 아메리카노를 놓고 마주 보고 있다. 커피 향이 참 좋다.

그는 커피 잔을 입에 대고는 스마트폰 자판에 글을 치고 있는 내 모습을 물끄러미 바라보고 있다.

잠시 짬에 '슬기로운 주부생활'의 글 꼭지를 그에게 읽어 주었다. 커피는 아직 식지 않았다. "오늘 운동은 어디로 갈까"라고 물었더니 "오늘은 광안리 바닷길을 걷고 싶어요."하고 말한다.

삶은 숙명인가

서재의 빈 벽에 걸린 달력이 아직 10월 그대로다. 오늘 새벽녘에 일어나 첫눈에 보이는 10월의 달력을 벗겨내고 11월로 바꾸었다.

나의 시간이 아직 10월에 머물러 있는지 착각을 했다. 11월도 며칠 남지 않은 지금에서야 비로소 현재의 시간이 맞춰진 것인가. 분명히 나에게 지금은 멈춰있는 시간의 연속인가보다. 나에게 멈춰있는 그 시간을 이제는 제시간으로 돌려놓고 싶다.

한참 주인을 잃은 서재에 앉아 지난 시절 보았던 두꺼운 책을 한 권 펼쳐본다. 미국 사람 루이즈 애런슨 이라는 사람이 쓴 〈나이 듦에 관하여〉 라는 제목의 책이다.

속지에 '2020. 7. 15 이승국'라고 쓰여 있다. '죽는 날까지 스스로를 지키고 제 권리를 행사하며 자주권을 잃지 않는 노인만이 존경받을 수 있다'라는 문구가 가슴에 확 들어온다. 스스로 지키고 자기 권리를 행사하며 자주권을 잃지 않고 살아갈 수 있다면 최고의 삶이다.

지금의 삶이 어쩌면 정해져 있는지도 모른다. 2,360년 전쯤에 살았던 아리스토텔레스가 주장한 숙명론처럼 '필연적으로 일어날 일은 반드시 일어나기 마련이므로 순응하며 사는 것이 올바른 삶의 태도'라는 숙명을 받아 들여야 하나보다.
아내의 아픔도 아픔을 돌보는 나의 처지도 숙명이라고 생각하기에 순응하고 그저 받아들이는 것인가. 지금의 내 삶은 숙명일까.

평소에 운명이라는 신조를 따르는 편이다. 태어난 것도 운명이고 정해진 대로 일을 하고 살다가 세상과의 인연이 끊어지면 조용히 사라지는 것이다.
정해진 대로 사는 것인데 그 정해진 것이 무엇인지를 알 수가 없으니 답답할 뿐이다.

최근 동네 철학관에서 사주팔자를 본 일이 있다. 철학관 선생이 묻는다. "어쩐 일로 오셨소?" 잠시 동안 그와 나의 눈이 마주쳤다.
첫 마디를 "선생님 현재 내가 살고 있는 삶이 나에게 주어진 사주팔자대로 잘 살고 있는지 궁금하여 왔소." 라고 답했다.

살면서 정해진 대로 누구를 만나고 어떤 일을 하면서 지금까지 살아왔고, 앞으로의 삶은 또 어떻게 살다가 언제쯤 끝날 것인지 라고 사주라는 명리에 운명이 정해져 있다면 그것이 알고 싶다.

철학관 선생과 한참을 묻고 답했다. 중년과 장년의 삶보다 노년의 삶이 더 좋을 것이라는 추상적 답변이지만 나쁘지 않다는 그의 말이다.

지금 현재의 삶의 길이 내 운명에 정해진 대로 살아가고 있다면 나쁘지 않는 삶이 될 것이다. 순응하고 받아들이면 그만이다.

잠시 멈춰진 현재의 삶이 내 운명 속에 존재한다면 순응하고 받아들여야 한다. 좋아하는 지인의 말처럼 "이 또한 지나가리라. 아무 일도 없었던 것처럼" 그러길 바라고 그러길 기대한다.

올해의 본격적인 겨울이 시작 되었다. 지금의 삶이 숙명이고 운명이라 생각하고 올겨울을 계절에 순응하고 시간에 맡겨 보기로 한다.

겨울비

오랜만에 겨울비가 내린다. 아직 가을의 끈을 놓지 못하고 있는 은행나무 잎들이 비바람에 흔들리다 아스팔트 바닥에 떨어져 빗물과 함께 엉켜 있다. 우주의 시간은 올해 끝 날을 향해 지금을 과거로 밀어내고 있다.

내가 좋아하는 레프 톨스토이는 지금이라는 현재를 이렇게 말했다. '이 세상에서 가장 중요한 때는 바로 지금이고, 가장 중요한 사람은 지금 함께 있는 사람이며, 가장 중요한 일은 지금 곁에 있는 사람을 위해 좋은 일을 하는 것'이라고.

지금의 시간이 가장 소중하고 지금 함께하는 사람이 가장 중요하다. 바쁜 일상을 살면서 소중한 지금의 순간과 지금 함께하고 있는 중요한 사람을 제대로 인식하지 못하고 지내는 우를 범하지 말아야 한다.

멈춰져 있는 지금의 내 시간도 결코 멈춰져 있지 않다는 사실을 깨닫는데 제법 시간이 걸렸다. 살아있는 모든 존재는 멈춤이란 원래 없었던 것이다. 매 순간 지나가는 시간 위에 얹혀서 그렇게 연속적으로 살아왔고 살아가는 것이다.

지금 나의 아침은 식사를 준비하는 일로 시작된다. 과거 어느 때는 명상과 스트레칭으로 시작했던 때와는 완전히 대조적이다.

매 끼니 식사 준비는 이제 완전한 내 몫이 되었다. 먹는 것은 별로 중요하지 않다는 내 심지가 무너졌다. 먹는 일도 삶에 중요한 한 부분이 되었다.

만약에 혼자의 삶을 산다면 먹 거리를 그렇게 신경 쓸 필요는 없을듯하지만 지금은 그렇지 않다. 아픈 사람을 돌봐야 한다는 책임과 의무가 사람의 생각과 행동을 변화 시켰다. 누구나 주어진 환경과 상황에 따라 변하기 마련이다.

오늘 아침 밥상은 이렇게 준비를 했었다. 양파 된장국을 단백하게 끓이고 야채(겨울 초, 배춧잎, 양파) 무침, 계란프라이, 햄 구이를 조리하고 밑반찬으로 김장김치, 나물, 김을 곁들여서 흰쌀밥과 함께 내 방식대로 밥상을 차렸다. 음식 조리 솜씨가 날로 발전하고 있다고 아내가 찬사를 보낸다.

비 오는 흐린 날씨 탓이기도 하지만 식탁에 아침상이 차려진 시간까지 아내는 아직 거실 이불 속에 들어있다. 어린아이를 깨워 "새끼 야, 밥 먹어"라고 했던 것처럼, 그를 깨워 "옥이 씨 밥 먹자"라고 했다.

퇴원 이후로 매일 2시간 이상의 걷기 운동이 힘겨웠나 보다. 매일 동네 주변을 어슬렁거리는 걷기를 했는데 어제는 첫 외유를 했다.

양산 통도사를 방문해 무풍한송로와 경내 산책을 했다. 평소보다는 걷는 시간과 이동 시간이 길어서 육신이 많이 피곤했나 보다. 아침을 맞이하는 시간이 더디게 보인다.

밥상을 마주하고 앉아 아내에게 "오늘 아침은 힘드나 보네" 했더니 "맛있는 아침상을 잘 차렸네"하고 덕담을 보낸다. 아내는 된장국 한 숟갈을 입에 넣고는 "국이 시원하니 맛있어요."라고 한다.

하루의 일상을 무탈하게 시작하는 지금 이 순간이 작은 행복의 시작이라는 생각이 든다. 누구나 자기의 소중한 삶이 있다. 삶도 시간도 결코 멈춤이 없으니 오늘도 감사하는 마음으로 씩씩하게 하루를 연다.

자세히 보이는 것들

내가 살고 있는 동네에 랜드마크처럼 우뚝 솟은 고층건물 4개 동이 있다. W스퀘어 69층 주상복합 아파트다. 해운대 LCT, 마린시티와 같이 부의 상징으로 꼽히기도 한다.

최근에는 아픈 사람과 오후 산책길에 잠시 머물러 커피 마시는 장소가 되었다. 바람 부는 날 바깥바람이 찰 때는 W상가 통로를 따라 그냥 걷는다.

지하 1층과 지상 2층 상가는 통으로 연결되어 있어 천천히 걷기에는 참 좋은 곳이다. 사람 구경도 아이쇼핑도 나쁘지 않다.

상가 규모가 대단히 크다. 롯데마트, 다이소, 문구점, 키즈카페, 어린이 체험장, 골프연습장, 볼링장 등의 시설은 규모가 대형 급이다.

음식점 먹거리도 다양하고 편의 시설도 잘 갖춰져 있다. 최근 이용자가 많이 늘어난 것으로 보인다. 사는 주변에 좋은 시설이 있는 것은 삶의 질도 좋아진다는 의미다.

문제는 돈이다. 살기가 편하고 주변 시설을 내 것처럼 이용하려면 돈이 든다. 최근엔 점심 식사도 이곳에서 주로 한다. 어제는 김치찜 2인분을 27,000원에 먹었는데 맛이 생각보다 못 했다. 식사 한 끼 비용이 만만치 않다. 미역국 한 그릇에 17,000원이다.

W스퀘어 1층 상가 끝에 만남의 광장 형태로 널찍한 공간이 있다. 뜨거운 마일로 아메리카노커피를 한잔 사서 만남의 광장 테이블에 아내와 나란히 앉아 잠시 휴식을 했다.
커피는 쌉싸래하고 달착지근하다. 한가한 오후 시간에 스타벅스도 만남의 광장도 자리 차지하기가 쉽지 않다. 날이 추우니 모두가 실내에서 머물고 싶어 하니 더 그렇다.
주말이면 버스킹 공연도 하고 가끔씩은 오케스트라 단체 공연도 한다. W스퀘어 상가 공간이 동네의 상권과 문화를 바꾸어 놓았다.

스타벅스 커피점은 자리가 없을 정도로 붐빈다. 낮 시간임에도 사람들이 이렇게 많다. 이 사람들은 도대체 뭐 하는 사람들이기에 이 시간에 이러고 있을까.
자세히 들여다보니 대부분 여성들이다. 일상의 일과 시간인데 남자들은 일터로 여성들은 커피숍으로 출근하는 시대가 된 것인가. 만남의 광장, 식당가, 옷 가게 등에도 여성들이 대다수를 차지하고 있다. 과거에는 그냥 스쳐 지나간 것들을 자세히 보게 된다.

아내와 걷기 운동을 함께하는 일이 이제는 매일 하는 일과가 되었다. 용호만을 따라 이기대 섭자리 달빛공원을 한 바퀴 돌아서 다시 W상가에 도착하면 하루해도 거의 기울어가는 시간이 된다.

낮 시간에 그렇게 벅적이던 스타벅스 실내는 한적하기만 하다. 아내에게 물었다. "아까 그 많은 사람들이 다 어디로 갔지"하고. 그가 답하기를 "밥할 시간이 되었으니 밥하러 갔지"라고 한다. 여성이 행복해야 가정과 사회가 행복해진다는 그 말을 공감한다.

내가 사는 동네 참 좋은 곳이라는 생각을 오늘도 하게 된다. 자세히 보니 많은 것이 보이기 시작했다. 사람도 사물도 자세히 보면 본질을 알 수 있을듯하다.

가까이 있는 사람부터 자세히 보려고 노력한다. 사는 것이 괜찮은지, 심신은 건강한지, 마음 상하는 일은 없는지. 함께하는 사람의 불행이 곧 나의 불행이 된다.

함께 살고 있는 몇 안 되는 주변의 소중한 그들이 있기에 내 삶도 존재하는 것이다. 그들이 건재하고 무탈해야 오래오래 함께 할 수 있다.

Adieu 2023

한 해의 끝자락에 서 있다. 또 한 해를 무사히 잘 살아왔구나 하는 감사한 마음을 가진다. 올 한 해는 좋은 일보다는 힘들고 어려운 일이 더 많은 한 해였지만 그 모든 것이 내 삶이었다는 사실을 깨닫게 된다.

웃어도 하루 울어도 하루였는데 웃는 날 보다 우는 날이 많았다. 육신의 아픔도 정신의 고통도 견뎌내었다. 은퇴 후 처음 살아본 3년째의 삶, 행복과는 거리가 멀었다.

내 육신의 아픔은 이겨내었지만 함께하는 아내의 아픔은 아직 진행 중이다. 아내의 멈춰진 시간이 내 시간도 멈추게 했다.

서로의 삶에 짐이 되지 않아야 하는데 스스로의 의지대로 되지 않았다. 삶은 언제나 그 끝을 향해 진행 중이지만 우리는 늘 현재를 살고 있을 뿐이다.

올 한 해 시작은 아들 출가와 코로나 바이러스 극복으로 출발했다. 은퇴 3년 차로 가치 있는 삶을 키워드로 정해놓고 자유롭고 홀가분한 삶을 살아 보기로 했다. 여러 가지 일들이 많았지만 가장 힘든 것을 뽑자면 외적으로는 사람 관계이고 내적으로는 건강의 이탈이었다.

7월에 육신의 불청객으로 찾아온 석회화 건염이 오른쪽 어깨와 팔뚝을 마비 시켰다. 염증 치료에 따른 스테로이드 약물 후유증으로 생을 마감할 뻔했다. 극심한 불안과 우울증으로 유체이탈과 정신 혼란을 겪었다. 다행히 백병원 K박사 도움으로 힘겹게 극복했다.

불행은 늘 겹쳐오더라. 아내의 삶이다. 가을바람 타고 왔다는 행복을 손에 잡고 마음에 저장할 시간도 없이 맨바닥에 떨어졌다. '행복이라는 것이 이런 것이구나.' 하는 의미를 이제 조금 알아갈 때쯤 별안간 불행이 덮쳤다.

아내는 10월 어느 날 뇌출혈로 쓰러졌고, 짧지 않은 기간 동안 병원 치료를 통해 다행히 증세가 완화되어 회복 중이다. 과거의 모습을 찾기 위해 고군분투하고 있지만 시간이 조금 걸릴 것으로 보인다.

얼마나 다행한 일인가 그만하기가. 그저 운명의 신께 감사를 드리고 대세에 따르고 있다. 아내의 삶이 곧 나의 삶이 되었다. 그의 삶이 멈춰진 곳에 내 삶도 멈춰있다.

또 하나 나를 힘들게 했던 것은 사람이었다. 소중하지 않으면 보내고 놓아버리면 그만인데 소중하기에 보낼 수도 놓을 수도 없으니 오롯이 참고 견뎌내야 했다. 과거에도 사람 관계가 제일 힘들었는데 지금도 그렇다. 어쩌면 그들도 나와 같이 내가 힘든 사람일 것이다.

어쩌면 우리의 욕심이 우리 스스로를 힘들게 했는지도 모른다. 소중한 그들이 존재하기에 내 삶도 존재한다는 진리를 깨닫고 있다.

소중한 것을 있는 그대로 소중히 여기면 되는데 서로의 욕심 때문에 그들도 나도 많이 힘들었다.

소중한 것에 소홀함이 없도록 삶을 더욱 정갈하게 나의 것으로 만들어 가야 한다는 삶의 진리를 오늘도 배우고 있다.

올 한 해 동안 내 머릿속에 가장 많이 생각한 단어들은 평정심, 선한 영향력, 가치, 책임과 의무, 건강 등이었다. 그중에서 육신은 건강이었고 정신은 평정심을 최우선에 두었다. 육신의 건강도 중요하지만 정신의 건강도 그에 못지않았다.

한 해를 나와 함께 살아준 내 육신아 정신아 고맙다. 그리고 사랑한다. 새해도 변함없이 나를 지키고 돌보는 역할을 다해주기를 명한다.

내일이면 甲辰年 새해다. 또 새로운 한 해가 시작되겠지만 삶은 그 연장선에 있으니 오늘과 별반 차이는 없을 것이다.

새해에도 삶의 키워드는 '가치 있는 삶'으로 정했다. 삶의 진정한 의미와 가치를 새겨 진솔하고 공유하는 삶을 살아 보기로 한다. 아듀 2023~

다시 만난 편편 세상이야기

발 행 | 2024년 01월 18일
저 자 | 이승국
펴낸이 | 한건희
펴낸곳 | 주식회사 부크크
출판사등록 | 2014.07.15.(제2014-16호)
주 소 | 서울특별시 금천구 가산디지털1로 119 SK트윈타워 A동 305호
전 화 | 1670-8316
이메일 | info@bookk.co.kr

ISBN | 979-11-410-6734-2

www.bookk.co.kr